意味がわかると怖い話で学べる英文法

水谷健吾　氏田雄介

Gakken

本書の使い方

本書は主に ❶**物語パート** と ❷**英文法パート** で構成されています。
まずは左ページの“意味がわかると怖い話”を読み、続いて右ページで物語中に登場する英文法を学びましょう。

❶物語パート

❷英文法パート

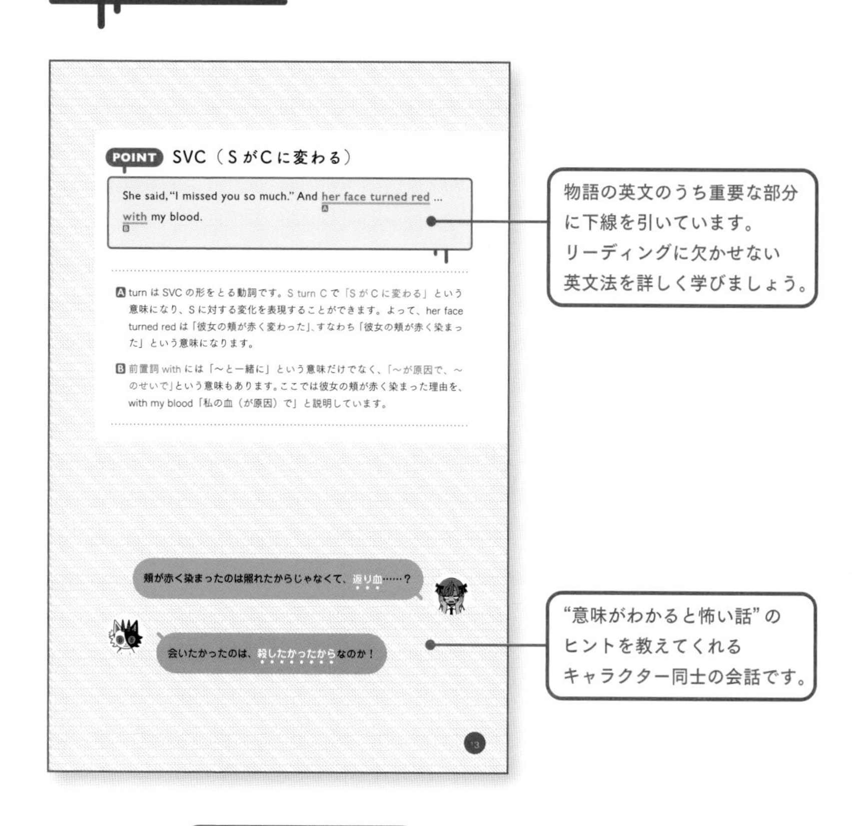

POINT SVC（SがCに変わる）

She said, "I missed you so much." And her face turned red ... with my blood.

A turn はSVCの形をとる動詞です。S turn C で「SがCに変わる」という意味になり、Sに対する変化を表現することができます。よって、her face turned red は「彼女の頬が赤く変わった」、すなわち「彼女の頬が赤く染まった」という意味になります。

B 前置詞 with には「～と一緒に」という意味だけでなく、「～が原因で、～のせいで」という意味もあります。ここでは彼女の頬が赤く染まった理由を、with my blood「私の血（が原因）で」と説明しています。

13

物語の英文のうち重要な部分に下線を引いています。リーディングに欠かせない英文法を詳しく学びましょう。

"意味がわかると怖い話"のヒントを教えてくれるキャラクター同士の会話です。

キャラクター紹介

レイカ

恋バナよりも怖い話が好きな高校生。
空き地で見つけて以来、ギギの飼い主。
得意科目は美術、苦手科目は英語。

ギギ

正体不明の動物（？）。
怪談や都市伝説、ホラー映画に詳しい。
レイカのことを飼い主だと思っていない。

もくじ

イミコワ英語

意味がわかると怖い話で学べる英文法

もくじ

イミコワ英語

意味がわかると怖い話で学べる英文法

第 1 話

Plans

予定

Do you have any mourning wear? I'm planning on attending the funeral of my best friend in three weeks.

mourning wear 喪服　**funeral** 葬式

喪服はありますか？　３週間後、親友のお葬式に参加する予定なんです。

POINT SVO（SがOをVする）

Do you have any mourning wear? I'm planning on attending the funeral of my best friend in three weeks.

(A: Do you have any mourning wear? / B: in three weeks)

A 第3文型と呼ばれるSVO「SがOをVする」の形をもとにした疑問文です。Sは主語、Vは動詞、Oは目的語のことで、第3文型ではVに他動詞（目的語を必要とする動詞）を用います。本文を見ると、haveは「～を持っている」という意味の他動詞で、any mourning wear「喪服」が目的語です。ここでのyouは「お店の人」を指し、「お店に喪服はありますか？」と問いかけています。

B 前置詞inは「～の中で」のように位置を表すだけでなく、「～後に」と時間を表すこともできます。in three weeksで「3週間後に」とお葬式の日時を表しています。

なんで3週間後にお葬式があるって知ってるの？

まさか死を予期できるとか？　それとも自分でその人を……

第2話 Goodbye

さよなら

I said goodbye to my boyfriend and went on a trip abroad alone. When I came back to Japan, he had become rotten.

go on a trip 旅行する　**rotten** 腐った

彼氏に別れを告げ、一人で海外旅行に行った。日本に帰ってくると、彼は腐っていた。

POINT SVC（S が C になる）

I said goodbye to[A] my boyfriend and went on a trip abroad alone.
When I came back to[A] Japan, he had become rotten.[B]

A 前置詞 to は、ずばり「対象へ向かう」イメージだと覚えておきましょう。1 文目に出てくる to は、to my boyfriend「彼氏に対して」とあるので、「人」という対象に向かって話しかけるイメージを表しています。また２文目の to も、to Japan「日本へ」と、「場所」という対象に向かうイメージが読み取れます。

B he had become rotten は、第２文型と呼ばれる SVC の形です。S become C で「S が C になる」という意味で、S=C（S は C である）という関係が成り立ちます。C は補語と呼ばれ、rotten「腐った、腐敗した」などのような形容詞が入ります。（参照：過去完了形→ p.45 A）

彼氏は腐敗してたってこと!?

別れを告げたってそういう意味だったんだね……

第 3 話 Red Faced

赤面

She said, "I missed you so much." And her face turned red ... with my blood.

miss ～がいなくて寂しく思う　**blood** 血

「ずっとあなたに会いたかった」そう告げると、彼女の頬は赤く染まった……私の血で。

POINT SVC（SがCに変わる）

She said, "I missed you so much." And her face turned red ... with my blood.
(A: her face turned red / B: with)

A turn はSVCの形をとる動詞です。S turn Cで「SがCに変わる」という意味になり、Sに対する変化を表現することができます。よって、her face turned red は「彼女の頬が赤く変わった」、すなわち「彼女の頬が赤く染まった」という意味になります。

B 前置詞 with には「〜と一緒に」という意味だけでなく、「〜が原因で、〜のせいで」という意味もあります。ここでは彼女の頬が赤く染まった理由を、with my blood「私の血（が原因）で」と説明しています。

頬が赤く染まったのは照れたからじゃなくて、返り血……？

会いたかったのは、殺したかったからなのか！

第4話 An Aroma

におい

A man was passing through a village. He said, "It smells like something is rotten here."
Then a villager appeared near the man and said, "Oh, it smells fresh."

pass through ～を通る　**villager** 村人　**fresh** 新鮮な

ある男が村を通りかかった。彼は言った。「ここは何かが腐ったようなにおいがするな」
すると、村人が男の近くに現れて言った。「お、新鮮なにおいがする」

POINT SVC（S は C のにおいがする）

A man was passing through a village. He said, "It smells like something is rotten here."
Then[A] a villager appeared near the man and said, "Oh, it smells fresh.[B]"

A then は「すると、それから」を意味する副詞です。「まず A という出来事があって、それから B が起こった」というように、出来事の時間的な順序を明確に示すために使われます。本文では、「村を通りかかった男がひと言つぶやいた後に、村人が現れた」という流れを順序立てて説明しています。

B 動詞 smell は SVC の形をとり、S smell C で「S は C のにおいがする」という意味を表します。本文では主語が it なので、動詞は三人称単数形の smells になっています。C には fresh「新鮮な」以外に、nice[good]「よい」や bad「悪い」といった形容詞を使うこともできます。なお、男性のセリフ It smells like something is rotten here. のように、smell の後ろには文が続くこともあります。

腐ったにおいがする村人って……まさかゾンビ!?

新鮮なにおいがする男は、村人にとってごちそうなのかも

第5話

Facial Expression

表情

“He looked sad a few days ago, but now he is smiling.”

“That’s good to hear.”

“No, it’s not. Because ... this is a photograph.”

sad 悲しい　**photograph** 写真

「彼、数日前は悲しそうな顔をしていたのに、今は笑っているんです」
「それはよかったですね」
「よくないですよ。だってこれ、写真なんですから」

POINT SVC（S は C に見える）

"He looked sad a few days ago, but now he is smiling."
A
"That's good to hear."
B
"No, it's not. Because ... this is a photograph."
C

A look at「～を見る」という表現で知られていることが多い look ですが、SVC の形をとることもできます。S look C で「S は C に見える」という意味になり、S の様子を表したいときに使います。よって、He looked sad で「彼は悲しそうに見えた」という意味を表しています。

B That's good to hear. は、「それが聞けてよかった」という意味。相手の発言を受けて喜んでいるときに使える会話表現です。

C because は「～だから」という意味を表す接続詞です。because の後ろには、No, it's not.「よくないですよ」と述べる理由が説明されています。（参照：理由→ p.55 A）

よかったね、この人。笑顔になったんだって！

待って待って、写真だよ!?

第 6 話 Believe Me

信じて

"Doctor, please believe me! I'm not crazy."

"Sure, but I'm not a doctor."

crazy 正気でない

「先生、信じてください！　私はおかしくなってなんかいません」

「ええ、でも私は医者ではありません」

POINT 否定文（～は…ではない）

"Doctor, please believe me! I'm not crazy."
"Sure, but I'm not a doctor."

A please believe me の部分は、〈please ＋動詞の原形〉という形の命令文になっています。命令文はふつう「～しなさい」と相手に命令するものですが、please を文頭に置くことで、「～してください」と依頼する意味合いになります。

B I'm ～. で「私は～です」という意味です。I'm not ～. はこれの否定文なので、「私は～ではありません」という意味になります。be 動詞の否定文は、You are not ～.「あなたは～ではありません」や He is not ～.「彼は～ではありません」のように、be 動詞の直後に not を置きます。

医者と患者の会話……じゃなさそう

正常を訴えている様子がもう異常だね……

第 7 話 Don't Worry

心配しないで

This is your new roommate. She's short-tempered, but don't worry. She seldom kills people.

short-tempered 怒りっぽい　**seldom** めったに〜しない

この子があなたの新しいルームメイトよ。怒りっぽいけど、心配しないで。人を殺すことは、めったにないから。

POINT seldom（めったに～しない）

This is your new roommate. She's short-tempered, but don't worry. She seldom kills people.
(A: This is / B: don't worry / C: seldom)

A「こちらは～です」と、自分の知り合いを相手に紹介するときに使うのが、This is ～. という表現です。例えば、This is my friend, Yuki.「こちらは私の友達のユキです」や、This is my colleague, Mai.「こちらは私の同僚のマイです」のように言うことができます。

B この don't ～は「～するな」という、禁止を表す表現です。don't の後には、必ず動詞の原形を続けましょう。（参照：禁止→ p.29 A）

C seldom は準否定語と呼ばれる単語で、「めったに～しない」という意味を表します。「めったに～しない」ということは、反対に「ごくまれに～することもある」という意味になります。not や never と違い、「まったくない」わけではなく、「頻度はかなり低いが、まれにある」という意味を表すことに注意しましょう。

いやいや、少しでも可能性あっちゃダメでしょ！

この子は一体……

第 8 話 Hospital Visitor

見舞い客

"Are you the patient's partner?"

"No, I'm not."

"Are you family?"

"No, I'm not."

"Are you a friend?"

"No, I'm not. I am Death."

patient 患者

「あなたはこの患者の恋人ですか？」「いいえ、違います」
「家族ですか？」「いいえ、違います」
「友人ですか？」「いいえ、違います。私は死神です」

POINT Yes/No 疑問文（あなたは～ですか？）

"Are you the patient's partner?"
A
"No, I'm not."
B
"Are you family?"

"No, I'm not."

"Are you a friend?"

"No, I'm not. I am Death."

A Are you ～? は「あなたは～ですか？」という意味で、You are ～.「あなたは～です」という文の疑問文の形です。be 動詞の疑問文を作るときは、このように be 動詞を主語の前に置き、〈be 動詞＋主語＋～?〉の語順にします。

B Are you ～?「あなたは～ですか」という質問に対しては、Yes, I am.「はい、そうです」か No, I'm not.「いいえ、違います」のどちらかで答えます。質問に対して Yes か No で答える必要があるので、このような疑問文のことを Yes/No 疑問文と呼びます。

お見舞いに来たのは恋人でも家族でも友人でもなく死神!?

この患者、もう長くないんだね……

第9話

Abandoned

放置

It had been a long time since I was run over by the car. Nobody came to help me, not even the police or paramedics.
Suddenly, a woman appeared. “Who are you?” I asked. “I am an exorcist,” she replied.

run over ～をひく **paramedic** 救急医療士
exorcist（悪魔払いの）祈祷師

私が車にひかれてからずいぶん経っていた。警察や救急隊員でさえも、誰も助けに来なかった。
突然、一人の女が現れた。「あなたは誰？」と私は尋ねた。「私は除霊師です」彼女はそう答えた。

POINT 疑問文（あなたは誰ですか？）

It had been a long time since I was run over by the car. A
Nobody came to help me, not even the police or paramedics.
Suddenly, a woman appeared. “Who are you?” I asked. B
“I am an exorcist,” she replied.

A It had been ～ since ... で「…してから～が経った」という表現です。since 以降が示す時点から、どれくらいの時間が経過したのかを表すことができます。（参照：過去完了形→ p.45 A）

B who は「誰」という意味の疑問詞です。Who are you? で「あなたは誰ですか」という意味になります。疑問詞を使った疑問文は、このように文頭に疑問詞を置き、その後ろに〈be 動詞＋主語〉の語順で文を続けます。

事故に遭ったのに誰も来ないのはなぜ？

除霊師が来たってことは、すでにこの人幽霊になっているんじゃ？

第10話

Book of Foresight

予知本

"Look at this book. It's about what you will be like in five years from now."
"That's really cool! But why are all the pages blank after this one?"

blank 白紙の

「この本を見て。あなたがこれから5年後、どうなっているのかが書かれているよ」
「すごい！　でも、どうしてこのページから後ろには、何も書いてないの？」

POINT 命令文（～しなさい）

"Look at this book.[A] It's about what you will be like in five years from now.[B]"
"That's really cool! But why[C] are all the pages blank after this one?"

A Look at this book. は、「～しなさい」という意味を表す命令文の形になっています。英語の文には基本的に主語と動詞が含まれますが、主語を省略して動詞の原形から文を始めるのが命令文の特徴です。

B what は〈what ＋主語＋動詞〉で「(主語）が～すること、(主語）が～するもの」という意味の名詞節を作ることができます。ここでは what you will be like in five years from now のかたまりで、前置詞 about の目的語となる名詞節を作っています。what you will be like で「あなたがどうなっているのか」、in five years from now で「これから５年後」という意味になり、全体で「あなたがこれから５年後、どうなっているのか」という意味です。(参照：関係代名詞の what → p.175 A)

C why は「なぜ」という意味を表す疑問詞で、原因や理由を尋ねるときに使います。

未来が書かれた本？　なんで５年後以降は書かれてないんだろう

多分この人、５年後にはもう……

第11話 Force of Habit

習性

"No! Stay away from me! Don't eat me, please ... it hurts!"
The monster had a habit of imitating the voice of the prey it had killed.

habit 習性　**imitate** ～をまねる　**prey** 獲物

「やめて！　私に近づかないで！　食べないで……痛い！」
その怪物には、殺した獲物の声をまねる習性があった。

POINT 禁止（～してはいけません）

"No! Stay away from me! **Don't eat me**[A], please ... it hurts!"
The monster had a habit of imitating the voice of **the prey it had killed**[B].

A 〈Don't ＋動詞の原形〉は命令文の否定形です。命令文が「～しなさい」という意味を表すのに対し、〈Don't ＋動詞の原形〉は「～しないでください、～してはいけません」のように禁止の意味を表すことができます。

B it had killed の前には、目的格の関係代名詞が省略されています。先行詞は the prey「獲物」で、the prey (that) it had killed で「それ（＝その怪物）が殺した獲物」という意味になります。that は「人」と「人以外」のどちらの先行詞に対しても使うことができる関係代名詞です。that の他に、先行詞が「人」であれば who を、「人以外」であれば which を使うこともできます。（参照：目的格の関係代名詞→ p.163 **A**）

おびえている人の声だと思いきや、だね

こうやって次の獲物を探しているのかな……

第12話 Cause and Effect

因果関係

My grandma gave me this cool globe. The other day, I accidentally stabbed it with a pen. And then, there was a newsflash! They were talking about this super strange hole that just showed up in the desert in America. They said it was like it just appeared out of nowhere!

globe 地球儀　**stab** 〜を刺す　**newsflash** ニュース速報

おばあちゃんが、このかっこいい地球儀をくれたんだ。で、この前さ、それをペンでうっかりつついちゃったの。そしたらね、ニュース速報が流れたの！　とつぜんアメリカの砂漠に現れた不思議な大穴について話してた。まるで、どこからか急に出現したみたいなんだって！

POINT SVOO（O に O を与える）

My grandma gave me this cool globe[A]. The other day, I accidentally stabbed it with a pen. And then, there was[B] a newsflash! They were talking about this super strange hole that just showed up in the desert in America. They said it was like it just appeared out of nowhere!

A 動詞には、目的語を２つとることができるものがあります。give はその１つで、〈give ＋人＋もの〉で「(人) に (もの) をあげる」という意味になります。２つの目的語を「人」→「もの」の順番で並べることがポイント。ここでは me が「人」に、this cool globe が「もの」に当たります。

B there was 〜は、there is 〜「〜がある」という表現の過去形です。物理的に何かがあるという場合だけでなく、there is a possibility「可能性がある」のように概念などに対しても使うことができます。本文では there was a newsflash で「ニュース速報があった」という意味です。

ペンで突き刺したら大穴のニュースが流れた。どういうこと？

この地球儀、本物の地球とリンクしてる!?

第13話

Our Pet

ペット

We have a pet. We call him Pochi. He doesn't eat much pet food. He hates being taken for a walk. And in the middle of the night, he often cries out, "Help me!"

hate ～を嫌う　**for a walk** 散歩に　**cry out** 大声をあげる

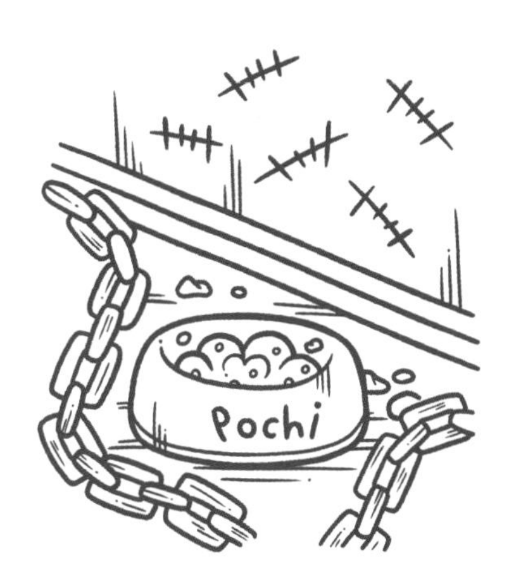

私たちはペットを飼っています。私たちは彼をポチと呼んでいます。ポチは餌をあまり食べません。ポチは散歩が嫌いです。そして、ポチは夜中によく「助けて！」と大声をあげています。

POINT SVOC（O を C と呼ぶ）

We have a pet. We **call him Pochi**[A]. He doesn't eat much pet food. He **hates being taken**[B] for a walk. And in the middle of the night, he often cries out, "Help me!"

A call は call O C で「O を C と呼ぶ」という意味になります。よって、call him Pochi で「彼をポチと呼ぶ」という意味です。この表現の O と C の間には、O=C（O は C である）という関係が成り立ちます。

B being taken は動名詞の受動態の形です。hate *doing* で「～することを嫌う」という意味なので、hate being taken という受動態の形では、「連れていかれることを嫌う」という意味になります。（参照：動名詞の受動態→ p.133 **A**）

餌をあまり食べない、散歩が嫌い、助けてと叫ぶ……

言葉を話してるってことは、ポチって犬じゃなくて……

第14話 Surprisingly Useful

超便利

"I get a silent call every Monday."
"That's scary."
"Actually, it's really rather helpful because it reminds me it's garbage day."

scary 怖い　**remind** ～に思い出させる　**garbage** ゴミ

「毎週月曜日に無言電話がかかってくるんだ」
「それは怖いね」
「でもゴミの日を思い出させてくれるから、結構便利だよ」

POINT 習慣を表す現在形（毎週～している）

"I get a silent call every Monday."
A
"That's scary."
B
"Actually, it's really rather helpful because it reminds me it's garbage day."
C C C

A 現在形は「(いつも）～する」のように、習慣的な動作を表します。ここでは動詞 get の現在形が使われているので、I get a silent call every Monday. は「毎週月曜日に（いつも）無言電話がかかってくる」という意味になります。

B That's scary. のように、〈That's ＋形容詞〉で「それは～だ」と感想を述べることができます。scary は「怖い」という意味の形容詞なので、That's scary. で「それは怖いね」と相手の話にリアクションをしています。

C １文に３つの it が登場していますが、１つ目と２つ目の it は a silent call「無言電話」を指します。３つ目の it は曜日などを表す用法で、この場合 it は訳しません。

無言電話だって、イヤだなぁ

いやいや、それを便利だって言ってるこの人の方が怖くない!?

第15話 Staring

凝視

He is always watching TV — even though the power has gone out.

power 電力　**go out**（電灯などが）消える

彼はいつもテレビばかり見ている。電気が止まっているのに。

POINT always ＋進行形（いつも～ばかりしている）

He is always watching TV — even though the power has gone out.
(A: is always watching / B: even though / C: has gone)

A〈be 動詞＋動詞の ing 形〉で表す現在進行形は、基本的には進行中の動作について「(今) ～している (ところだ)」という意味を表します。しかし、always とセットで使うと「いつも～ばかりしている」という意味になります。これはたった今進行中の動作ではなく、普段繰り返し行っていることを表す表現で、マイナスのニュアンスがあります。

B even though ～は「～であるのに」という意味を表し、2語のかたまりで接続詞の働きをします。even と組み合わせて使うことで、接続詞の though「～にもかかわらず」の意味合いを強調しています。

C have *done* は現在完了形で、本文では the power has gone out「電気が止まってしまった」という完了の意味で使われています。has となっているのは、主語の the power が三人称単数だからです。（参照：現在完了形 → p.45 **B**）

電気が止まっているのにテレビばっか見てる？

この人には何が見えているんだろうね……

第16話 Meeting Me

お迎え

It says in the letter "I'll pick you up at 5:00 p.m. today." I just got it from my girlfriend — who died two years ago.

pick up ～を迎えに行く　**die** 死ぬ

「今日の午後５時に迎えに行きますね」２年前に死んだ彼女から手紙が届いた。

POINT 未来（～するつもりだ）

It says in the letter "I'll[A] pick you up at 5:00 p.m. today." I just got it from my girlfriend — who[B] died two years ago.

A will には「～だろう」だけでなく、「～するつもりだ」という意味もあります。話し手の意志を表す用法で、本文の I'll pick you up「私が迎えに行きます」のように、相手に何かを申し出るときにも使われます。

B 主格の関係代名詞の who を使って、先行詞の my girlfriend に、後ろから説明を加えています。I just got it from my girlfriend. She died two years ago. という２つの英文を１文にまとめた形だと考えることができます。（参照：主格の関係代名詞→ p.165 B）

恋人からの手紙は嬉しいけど、亡くなってるんだね……

迎えに来るって、一体どこに連れて行くつもりなんだろ

第17話

Even in Death

死してなお

She was texting on her phone when she was run over by a truck and killed. But her severed hand kept texting.

text メールを打つ　***be* killed** （事故などで）死ぬ
sever ～を切断する

彼女は携帯電話でメールを打っていたところ、トラックにひかれて死亡した。しかし、切断された腕はメールを打ち続けていた。

POINT 過去進行形（～しているところだった）

She **was texting** [A] on her phone **when** [B] she was run over by a truck and killed. But her severed hand **kept texting** [C].

A 〈be 動詞の過去形＋動詞の ing 形〉で表す過去進行形です。「～しているところだった」という意味を表し、過去のある時点で進行中だった動作を述べることができます。

B when は「～するときに」という意味を表す接続詞です。過去進行形の文で使うと、その動作が「いつ」行われていたのかを示すことができます。ここでは、She was texting on her phone「彼女は携帯電話でメールを打っているところだった」のが「いつ」のことだったのかを説明しています。「トラックにひかれたとき、メールを打っている最中だった」ということです。

C keep *doing* は「～し続ける」という意味の表現です。keep on *doing* でも同じ意味になります。動作が一定の期間、継続していることを表したいときに使える表現です。（参照：動名詞を目的語にとる動詞→ p.91 A）

歩きスマホ、ダメ、ゼッタイ

腕だけになっても打ち続けてるって、すごい執念

第18話 Wandering Around

徘徊

I received a large package. When I opened it, I found that there was nothing inside. Since then, I have been hearing the sound of something walking around my room.

package 荷物　**walk around** ～を歩き回る

大きな荷物が届いた。開けてみると、中身は空っぽだった。
それ以来、何かが部屋を歩き回る音が聞こえる。

POINT 過去（～した）

I received a large package. When I opened it, I found that there was nothing inside. Since then, I have been hearing the sound of something walking around my room.

A received は動詞 receive「～を受け取る」の過去形で、「～を受け取った」という意味です。このように、動詞の過去形は語尾に -ed を付けるのが基本となります。しかし、gave（give の過去形）や bought（buy の過去形）のように、形が不規則に変化する動詞もあるので注意しましょう。

B この walking は現在分詞だと解釈することができます。walking 以下は something を後ろから修飾して、something walking around my room で「私の部屋を歩き回っている何か」という意味になります。

何かが歩き回る音って……

箱の中には何が入っていたんだろう

第19話

An Outcome

成果

It had not rained for months, so we held a festival to pray for rain. After that, it finally rained. Ten years have passed since then, and it is still raining.

pray 祈る　**finally** ついに　**still** まだ

何か月も雨が降っていなかったので、我々は雨乞いの祭りを開いた。その後、ついに雨が降った。それから10年が経ったが、今もなお雨は降り続けている。

POINT 完了（～してしまった）

It **had not rained** [A] for months, so we held a festival to pray for rain. After that, it finally rained. Ten years **have passed** [B] since then, and it is still raining.

A had *done* は「～した、～してしまった」という意味の過去完了形で、ここではnotが入った否定形になっています。過去完了形には完了・経験・継続の3つの意味がありますが、本文ではIt had not rained for months「何か月ものあいだ雨が降っていなかった」という継続の意味で使われています。このfor months「何か月ものあいだ」のように、完了形は時間の幅を表す表現とセットでよく使われます。

B have *done* は現在完了形で、本文ではTen years have passed since then「それから10年が経った」という完了の意味で使われています。since thenも時間の幅を表す表現で、「それから（＝ついに雨が降ってから現在までのあいだに）10年が経った」ということを、現在完了形を使って表しています。

雨が降ったのはよかったけど、止まないのも問題だね

今頃、必死で晴れ乞いをしているんじゃないかな

第20話

Only Looking For

これだけ探しても

I've been searching for a way to become immortal for 500 years.

search for ～を探す　**immortal** 不死の

私は不老不死になる方法を500年間ずっと探し続けている。

POINT 現在完了進行形（ずっと～し続けている）

I've been searching for a way to become immortal for 500 years.
(A: I've been searching / B: a way to become immortal)

A 現在完了進行形は〈have ＋ been ＋動詞の ing 形〉で表します。過去のある時点から現在まで継続している動作を表し、「ずっと～し続けている」という意味になります。よって、I've been searching for ～. で「私は（ずっと）～を探し続けている」という意味です。

B この to become は形容詞的用法の to 不定詞です。a way「方法」に対し、「どんな方法なのか」という詳しい説明を、後ろから付け加えています。to 不定詞の形容詞的用法は「～するための」と訳されることが多く、a way to become immortal で「不老不死になるための方法」という意味になります。（参照：to 不定詞の形容詞的用法→ p.105 **A**）

不老不死かぁ、憧れるね

でも 500 年も探してるこの人って、もしかしたらもう……

第21話

Case Closed?

一件落着？

The huge snake-like creature had been moving violently for hours when the special forces arrived. After the battle, the creature finally became still. One of the soldiers examined the carcass and said, "It is not a snake. This is the tail of a huge lizard."

- **violently** 激しく
- **special forces** 特殊部隊
- **still** 動かない
- **examine** ～を調べる
- **carcass** 死骸

特殊部隊が到着すると、ヘビのような巨大生物が暴れているところだった。交戦の末、その生物はようやくおとなしくなった。隊員の一人が死骸を調べて言った。「これはヘビじゃない。巨大なトカゲの尻尾です」

POINT 過去完了進行形（ずっと～し続けていた）

The huge snake-like creature had been moving [A] violently for hours when the special forces arrived. After the battle, the creature finally became still [B]. One of the soldiers examined the carcass and said, "It is not a snake. This is the tail of a huge lizard."

A 過去完了進行形〈had been ＋動詞の ing 形〉は、「ずっと～し続けていた」という意味を表します。過去のある時点から、また別の過去の時点まで、動作が継続していたことを表すことができます。ここでは、特殊部隊が到着するまでに、その生物が一定期間ずっと暴れ続けていたことを意味しています。

B become は SVC の形をとる動詞で、S become C で「S が C になる」という意味を表します。still「動かない」のように、C には状態を表す形容詞などが入ります。

巨大生物がやっと大人しくなったと思ったら……

本体はどれだけ大きいんだろうね

第22話

She's Home

おかえり

I've been living with her for three months now, and I'll hide in the ceiling when she comes home — as usual.

hide 隠れる **ceiling** 天井 **as usual** いつものように

彼女と住み始めて3か月。彼女が帰ってきたら、天井裏に隠れよう——いつものように。

POINT 副詞節を導く従位接続詞（～したとき）

I've been living with her for three months (A) now, and I'll hide in the ceiling when she comes home (B) — as usual.

A「ずっと～し続けている」という意味を表す現在完了進行形〈have + been +動詞の ing 形〉は、期間を表す前置詞の for とよく一緒に使われます。〈for +期間を表す語句〉で「～のあいだ（ずっと）」という意味です。よって、I've been living with her for three months で「私は3か月間ずっと、彼女と一緒に住み続けている」という意味になります。

B 主節に対し、補足的な内容を付け足す節を従属節と呼びます。従属節には「もし～ならば」という条件を表すものや、「なぜなら～だからだ」と理由を表すものなど、さまざまな種類があります。本文の when she comes home も従属節です。ここでは when「～するとき」を使って、「彼女が帰ってきたとき」という意味を付け加えています。

彼女と同棲しているのかな？

彼女は彼の存在に気づいてないみたいだけど……

第23話 Shouldn't Be

あるはずのない

If you go to this school in the middle of the night, you will find classrooms that should not exist. I told you this, so why did you come?

exist 存在する

もし夜中にこの学校に来たら、あなたは存在しないはずの教室を見つけることになるでしょう。そう伝えていたのに、なぜ来てしまったんですか？

POINT 条件の if（もし～したら）

If you go to this school in the middle of the night, you will find classrooms that should not exist. I told you this, so why did you come?

(A: If you go / B: should)

A if は「もし～ならば」という条件を表す接続詞です。条件を表す if 節の中では、未来のことを表すときでも動詞は現在形を使います。この英文でも、主節の you will find classrooms「あなたは教室を見つけるだろう」から未来の話をしている場面だと分かりますが、if 節の中は If you go ～と動詞 go の現在形が使われています。

B should には「～すべきだ、～したほうがいい」という意味だけでなく、「～のはずだ」という意味もあります。本文の should が表しているのは、後者の意味です。classrooms that should not exist で「存在しないはずの教室」となります。

夜の学校って、ただでさえ怖いよね

存在しないはずの教室では、誰が何を学んでるんだろうね

第24話

Collecting Dolls

人形あつめ

The girl was bullied by her classmates because she loved playing with strange dolls. One day, all the bullies went missing. Nobody notices that she has some new dolls.

***be* bullied** いじめられる　**strange** 変な　**bully** いじめっ子
missing 行方不明の

女の子は変な人形を可愛がっているせいで、クラスメイトからいじめられていた。ある日、いじめっ子たちが全員、行方不明となった。誰も彼女が新しい人形をいくつか持っていることに気づいていない。

POINT 理由（～だから）

The girl was bullied by her classmates because [A] she loved playing with strange dolls. One day, all the bullies went missing [B]. Nobody notices that she has some new dolls.

A because は「～だから」という意味を表す接続詞です。ここでは The girl was bullied by her classmates「女の子はクラスメイトからいじめられていた」と述べた後、「それはなぜなのか」という理由を because 以降で説明しています。

B 動詞 go は、〈go ＋形容詞〉で「～の状態になる」という意味になります。英文の went は go の過去形、missing「行方不明の」は形容詞なので、went missing はこの用法です。「行方不明の状態になった」、すなわち「行方不明となった」という意味を表しています。

いじめっ子たちが人形になったってこと？

これまで何人の子どもたちが犠牲に……

第25話 Sarcasm

皮肉

"Though he is rich, he has a good personality. Though she's beautiful, she is smart."
"Well, though you have an ugly face, you have a cold heart too."

personality 性格 **smart** 頭のよい **ugly** 醜い

「彼は金持ちだが、性格もいい。彼女は美人だが、頭もいい」
「なるほど、君は顔も醜いが、心も醜いね」

POINT 譲歩（〜だが）

"Though he is rich, he has a good personality. Though she's beautiful, she is smart."

(A: Though / B: he is rich)

"Well, though you have an ugly face, you have a cold heart too."

A though は「〜だが、〜にもかかわらず」という譲歩の意味を表す接続詞です。although でもほぼ同じ意味を表すことができますが、though の方が although よりもやや口語的な表現です。会話文なので、ここでは though が使われています。

B he is rich「彼はお金持ちです」は、第２文型 SVC の文です。このように、SVC の文では、動詞に be 動詞が使われることが多いです。一方、look「〜に見える」や turn「〜になる」のように、be 動詞以外に SVC の形をとる動詞もあります。SVC をとる動詞は数が限られているので、その都度覚えておくことが効果的です。

お金持ちは性格が悪くて、美人は頭が悪いって思い込んでるんだ

「顔も醜いが心も醜い」って皮肉で返されているね

第26話 Directing Your Effort

努力の方向

"Traces of sleeping medication were detected in the carrot juice I had. It will not be long before the police arrive," said the rabbit to the turtle.

trace 形跡　**medication** 薬物　**detect** ～を検出する
turtle カメ

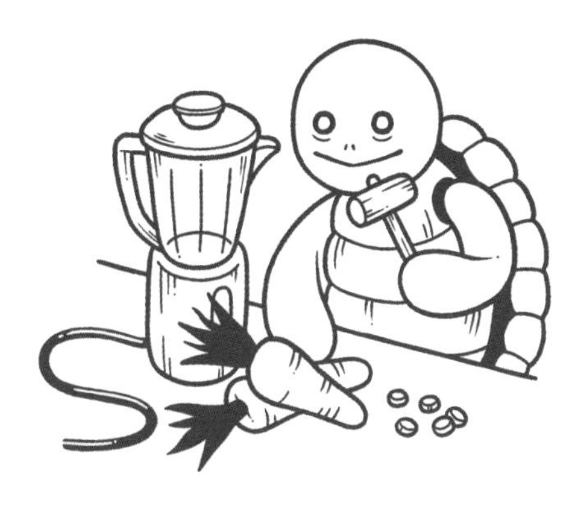

「僕の飲んだ人参ジュースから睡眠薬の成分が検出されました。まもなく警察がやってくるでしょう」ウサギがカメに向けて言った。

POINT It will not be long before ～（まもなく～）

"Traces of sleeping medication were detected in the carrot juice I had. It will not be long before[A] the police arrive," said the rabbit to the turtle[B].

A It will not be long before ～は「まもなく～するだろう」という意味の表現として覚えておきましょう。直訳すると、「～する前に（時間が）長くはかからないだろう」となります。「時間が長くはかからない」ということは、「まもなく～する」と考えられるので、全体で「まもなく～するだろう」という意味になります。

B said the rabbit to the turtle で「ウサギがカメに向けて言いました」という意味です。引用符内のセリフはウサギの発言で、the rabbit said to the turtle という本来の語順から、主語と動詞を入れ替えていることが分かります。発言をそのまま引用する直接話法では、このような主語と動詞の倒置がよく見られます。

あの有名な童話みたいだね

まさかこんな裏があったなんて

第27話 Too Many

多すぎる

"I've been hearing a strange voice lately. Whose voice is it?" asked the politician.
The monk replied, "There are so many vengeful spirits behind you that I cannot tell whose voice it is."

lately 最近　**politician** 政治家　**monk** 僧
vengeful spirit 怨霊

「最近変な声が聞こえるんです。誰の声でしょうか？」政治家が尋ねた。
僧侶は答えた。「あなたの背後には怨霊がたくさんいるので、誰の声か分かりません」

POINT so ... that 構文（とても…なので～）

"I've been hearing a strange voice lately. Whose voice is it?" asked the politician.
The monk replied, "There are so many vengeful spirits behind you that I cannot tell whose voice it is."

A 現在完了進行形の〈have ＋ been ＋動詞の ing 形〉は、「ずっと～し続けている」という意味を表します。よって、I've been hearing a strange voice lately. は現在までの一定期間、「変な声が聞こえ続けている」という意味になります。なお、I've は I have の短縮形です。

B so ... that ～は「とても…なので～」という意味を表す構文です。so の後ろに原因、that の後ろに結果が述べられています。so many vengeful spirits behind you that I cannot tell whose voice it is という部分も、so と that に注目しましょう。many vengeful spirits behind you「あなたの背後に怨霊がたくさんいる」ことが原因で、I cannot tell whose voice it is「誰の声か分からない」という結果になっていることが読み取れます。

僧侶が判別できないくらい怨霊が多いなんて

政治家は恨みを買いやすいっていうからね

第28話

Thoroughly Prepared

用意周到

She bought expensive cosmetics, clothes, and poison so that she could win the beauty contest.

cosmetics 化粧品 **poison** 毒物 **beauty** 美人

美人コンテストで優勝するために、彼女は高価な化粧品や服、そして毒物を買った。

POINT so that 構文（～するために…）

She bought expensive cosmetics, clothes, and poison so that [A] she could [B] win the beauty contest.

A ... so that ～で「～するために…」という意味の構文です。so that の後ろに、行動の目的が述べられています。すなわち、「化粧品や服、そして毒物を買った」のは、「美人コンテストで優勝する」という目的があったからだということが読み取れます。

B She から poison までの主節では、動詞が bought「買った」と過去形になっています。そのため、so that 以降の部分でも、助動詞 can の過去形 could が使われています。これを時制の一致と呼びます。主節の時制に応じて、助動詞や動詞の形を変える必要があることを押さえておきましょう。

化粧品や服に混じって、なんだか不穏なものまで買ってるね

優勝するために他の参加者たちを蹴落とそうとしてる……？

第29話　Zipper

ジッパー

I was in such a hurry that I nearly forgot to zip up my back. I almost revealed my true identity to the humans.

- **nearly** あやうく　 - **zip up** ～のジッパーを閉める
- **reveal** ～を明らかにする　 - **identity** 正体

とても急いでいたので、あやうく背中のジッパーを閉め忘れそうになった。人間に私の正体がバレるところだった。

POINT such ... that 構文（とても…なので〜）

I was in such a hurry that I nearly forgot to zip up my back. I almost revealed my true identity to the humans.
(A: such a hurry that / B: nearly / C: almost)

A such ... that 〜で「とても…なので〜」という意味の構文です。so ... that 〜と同様に、such の後ろに原因、that の後ろに結果が述べられています。so ... that 〜との違いは、such の後ろには名詞が続くことにあります。in a hurry のかたまりで「急いで」という意味ですが、such の後ろに続くのは名詞なので、in such a hurry という語順になります。

B nearly は「ほとんど、あやうく〜しそうになる」という意味の副詞です。I nearly forgot to zip で「私はほとんど閉め忘れそうになった」という意味になります。つまり、「もう少しで忘れるところだった」ということなので、「実際には忘れずに閉めることができた」という意味になります。

C この almost も nearly と同じように、「ほとんど、あやうく〜しそうになる」という意味の副詞として使われます。I almost revealed my true identity は「もう少しで私の正体を明かすところだった」、つまり「実際には正体がバレずにすんだ」ということです。

ワンピースのジッパー……とかではなさそう

何かが人間の着ぐるみを着ているんだね

第30話

As Soon As Possible

一刻も早く

I don't know when the planes will bomb us, so I have to finish writing this letter as soon as pos....

plane 飛行機　**bomb** ～に爆弾を落とす

いつ爆撃されるか分からない。だからこの手紙を書き上げなければ、一刻も早……。

POINT 名詞節中の時制（いつ～するか分からない）

I don't know when the planes will bomb us (A), so I have to finish (B) writing this letter as soon as pos.... (C)

A この when は時を表す副詞節ではなく、動詞 know の目的語となる名詞節を作っています。名詞節の中では、未来を表すときは will を使います。時を表す副詞節の場合は、未来を表すときでも動詞は現在形を使うので区別して覚えておきましょう。

B have to *do* は「～する必要がある、～しなければならない」という意味の表現です。義務を表す助動詞 must「～しなければならない」と似たような意味を表します。

C as soon as possible は「できるだけ早く」という意味の副詞句です。possible が途中で途切れているのは、手紙がここで終わっていること、つまりこの手紙を書いている最中に爆撃を受けたことを示唆しています。

手紙が途中で終わっているのって……

この手紙を書いている最中に爆弾が落ちたみたいだね

第31話 The Important Thing

重要なのは

We don't know if he is the real culprit or not, but arresting him will protect the police force's reputation.

culprit 犯人　**arrest** ～を逮捕する　**protect** ～を守る
reputation 評判

真犯人かどうかは分からないが、彼の逮捕で警察の面目は保たれる。

POINT 名詞節中の時制（～するかどうか分からない）

We don't know if he is the real culprit or not, but arresting him will protect the police force's reputation.

A: We don't know if he is the real culprit or not
B: arresting him

A if は「もし～ならば」という意味の副詞節だけでなく、「～かどうか」という意味の名詞節を作ることもできます。ここでは動詞 know の目的語となっているので、if 節は副詞節ではなく名詞節であることが分かります。We don't know if ～ or not で「～するかどうか分からない」という意味です。

B arresting him「彼を逮捕すること」という意味のかたまりで、文の主語になっています。このように、動名詞は「～すること」という意味を表し、文の主語になることができます。

誤認逮捕ってヤツ？

いや、どうやら意図して関係ない人を逮捕したみたいだよ

第32話 Keeping Watch

見張り

Drug dealing cannot be happening in this hotel. I know this because I monitor all the rooms with surveillance cameras all through the night.

dealing 取引　**monitor** ～を監視する　**surveillance** 監視

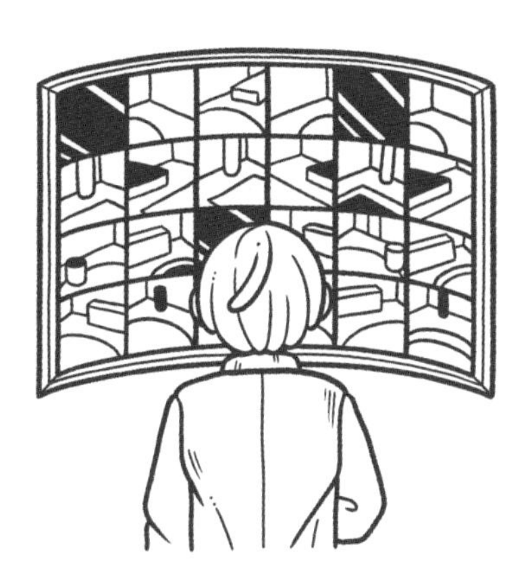

当ホテルで麻薬取引が行われているはずがありません。だって一晩中、すべての部屋を監視カメラで見ていますから。

POINT 助動詞 cannot（～であるはずがない）

Drug dealing cannot[A] be happening in this hotel. I know this because I monitor all the rooms with[B] surveillance cameras all through the night.

A この cannot は「～できない」ではなく「～であるはずがない」という推量の意味です。なお、「～にちがいない」という意味の場合は、can ではなく must を使うので注意しましょう。

B 前置詞 with には、「～を使って、～で」という意味で、道具や手段を表す用法があります。ここでは with surveillance cameras「監視カメラを使って、監視カメラで」と、部屋を監視する手段を示しています。

麻薬取引はなかったようだけど、あれ？

すべての部屋に監視カメラがついてるなんて、覗きじゃん

第33話 Lovely Smiles

ステキな笑顔

"This company may be a good place to work."
"Yea, it looks like it. The employees in the picture all have lovely smiles. What kind of company is it?"
"Let's see. Ah, they seem to make photo editing software."

lovely 素敵な　**editing** 編集

「この会社、勤め先としていいかも」
「本当だ。写真の社員さんたち、みんな素敵な笑顔だね。何の会社なの？」
「えっと。ああ、画像編集ソフトを作ってるみたいだね」

POINT 助動詞 may（～かもしれない）

"This company may(A) be a good place to work."

"Yea, it looks like it. The employees in the picture all have lovely smiles. What kind of company is it?"

"Let's see. Ah, they seem to make(B) photo editing software."

A 助動詞 may は「～かもしれない」という可能性の意味を表します。This company is a good place to work. とすると、「この会社は勤め先としていい」と言い切ることになります。そこに may を加えることで、「いい」と断定するのではなく、「この会社は勤め先としていいかもしれない」というニュアンスが生まれます。

B seem to *do* で「～するように思われる」という意味の表現です。客観的な事実や主観的な印象を述べるときに使うことができます。they seem to make photo editing software で「彼らは画像編集ソフトを作っているように思われる」となり、すなわち「作っているようだ、作っているらしい」という意味になります。

素敵な笑顔の会社、いいね！

もしその笑顔も加工ソフトで編集してるとしたら……？

第34話 The Haunted House

幽霊屋敷

In front of the haunted house, an old man covered in blood appeared. He was saying, "Help me. Please, help me."
I ran away at once because he must have been a ghost.

haunted 幽霊のよく出る　**run away** 逃げる　**at once** すぐに

幽霊屋敷の前に、血だらけの老人が現れた。彼は「助けて。頼むから助けてくれ」と言っていた。
私は一目散に逃げた。彼は幽霊だったにちがいない。

POINT 助動詞 must（～にちがいない）

In front of the haunted house[A], an old man covered in blood appeared. He was saying, "Help me. Please, help me."
I ran away at once because he must have been[B] a ghost.

A in front of ～のかたまりで「～の前に、～の正面に」という意味です。前置詞と同じ働きを持ち、形容詞か副詞となる語句のかたまりを作ります。In front of the haunted house「幽霊屋敷の前に」は、ここでは場所を示す副詞の働きをしています。

B must は「～しなければならない」という義務だけでなく、「～にちがいない」という推量の意味を表すこともできます。「～だったにちがいない」と、過去の出来事に対する推量を表すときは、〈must ＋ have ＋過去分詞〉の形になります。

血だらけの老人の幽霊、怖すぎ！

でもこのお爺さん、ひょっとしてけがをしていただけなんじゃ

第35話 Party?

パーティ？

"Shall we get out of here?"

"No, you're still in the middle of an interrogation."

get out of ～から出る　**interrogation** 取調べ

「一緒にこんなところ抜け出しませんか？」
「いえ、まだあなたは取調べの途中ですよ」

POINT 助動詞 shall（一緒に～しませんか？）

"Shall we get out of here?"
A
"No, you're still in the middle of an interrogation."
B

A 助動詞 shall は、Shall we ～? の形で「一緒に～しませんか？」という意味になります。これは Let's *do* ～.「～しましょう」と同じく、相手を勧誘する表現です。

B Shall we ～?「一緒に～しませんか？」という質問に対しては、Yes か No で答えるのが基本です。Yes, let's. や No, let's not. と答えることもできます。Let's *do* ～.「～しましょう」に対する答え方と同じだと覚えておきましょう。

パーティなら素敵なセリフに聞こえるけど……

そりゃ、抜け出せるものなら抜け出したいよね

第36話 An Invitation

勧誘

“The religious group you belong to is dangerous. You had better leave it.”
“But I don’t have the guts to do that.”
“Here, drink this special water, and you will.”

religious 宗教の　**had better *do*** 〜するべきだ　**guts** 勇気

「君が所属している宗教団体は危険だ。抜けるべきだよ」
「でもそんな勇気ないわ」
「ほら、この特別な水を飲めば、勇気が湧いてくるさ」

POINT 助動詞 had better（～するべきだ）

"The religious group you belong to is dangerous. You had better leave it."
A

"But I don't have the guts to do that."

"Here, drink this special water, and you will."
B

A had better *do* は「～するべきだ」と相手に忠告する表現です。命令口調に近い響きがあるため、目上の人には使わない方が無難です。親や先生が、子どもや生徒に対してアドバイスをするときなど、上下関係がはっきりしている間柄において使うことが多いです。また、「それをしないと危険が伴う」と忠告するときに使うこともできます。

B 〈命令文＋ , and ...〉は「～しなさい、そうすれば…」という意味を表します。and 以降には、ポジティブな内容が続きます。本文では、drink this special water「この特別な水を飲みなさい」という命令文の後ろに , and you will (have the guts to leave the religious group)「そうすれば宗教団体を抜ける勇気が出ます」という内容が続いています。

危険な宗教から助けてくれる友人、持つべきものは友だね

勇気が湧く水って、この水もだいぶ怪しいよ

第37話 An Arrangement

打ち合わせ

"Are you ready? Just like always, you don't have to speak in this show too," the dummy said to the ventriloquist.

dummy 腹話術の人形　**ventriloquist** 腹話術師

「準備はいい？　いつものように、今回のショーもキミは話す必要はないからね」 人形が腹話術師に話しかけた。

POINT 助動詞 don′t have to（～する必要はない）

"Are you ready? Just like always, you don't have to speak in this show too," the dummy said to the ventriloquist.

(Just like always = A, don't have to speak = B)

A like には「～のように」という意味があり、just like always で「いつものように」という意味を表します。just like を使った表現には他にも、just like you「あなたのように」や just like this「こんな風に」などがあります。

B don't have to *do* は「～する必要はない」という、不必要を表す表現です。主語が三人称単数のときは He doesn't have to speak ...のように、don't の代わりに doesn't を使うので注意しましょう。

腹話術ショーの打ち合わせかな？

いや、どうやら腹話術じゃないみたいだ

第38話 Practice Makes Perfect

習うより慣れよ

"If you live in the U.S., you will be able to speak English almost immediately. And I'm sure swimming will be the same." So said my father, and then he pushed me into the sea.

immediately すぐに　**push** ～を押す

「アメリカで生活すれば、すぐにでも英語を話せるようになるだろう。きっと泳ぎも同じはずさ」父はそう言うと、僕を海に突き落とした。

POINT 助動詞 will be able to（～できるようになるだろう）

"If you live in the U.S., you will be able to [A] speak English almost immediately. And I'm sure [B] swimming will be the same." So said my father [C], and then he pushed me into the sea.

A will be able to は「～できるようになるだろう」という、未来における能力を表します。ちなみに、能力を表す助動詞に can「～できる」がありますが、will can のように助動詞を２つ続けることはできないので注意しましょう。

B I'm sure ～. は「私は～だと思います」という意味で、確信度がかなり高いときに使う表現です。sure の後には主語と動詞を続けましょう。似た意味の表現に I'm sure of ～. がありますが、この場合は of の後に名詞または動名詞を続けます。

C so の後ろで英文の倒置が起こることがあります。その場合、so 以降の主語と動詞の順番が入れ替わります。本文も、My father said so「私の父親はそのように言いました」が本来の語順ですが、主語と動詞の順番が入れ替わり So said my father となっています。

たしかに言葉を覚えるなら現地がベストだろうけど

泳げない子どもを海に突き落とすのはやり過ぎだね

第39話 There Is a Problem

問題あり

"It's okay, guys. This mushroom looks weird, but I was able to eat it without any problems," he said — to the tree.

weird 変な

「大丈夫だよ、みんな。このキノコ、見た目こそ変だけど、僕は何も問題なく食べることができたよ」 と彼は言った。木に向かって。

POINT 助動詞 was able to（～することができた）

"It's okay, guys. This mushroom looks weird, but I was able to [A] eat it without [B] any problems," he said — to the tree.

A 「～することができた」という、過去に実行したことに対して使うのがwas able to。toの後には動詞の原形を続けて、実際に行った動作を表します。一方canの過去形であるcould「～できた」は、単に「そうする能力があった」という意味を表すときに使うので、本文のような文脈では使えません。具体的には、I could play the piano at four.「私は4歳のときにピアノを弾くことができました」のように使います。

B withoutは「～なしで」という意味の前置詞。without any problemsで「何も問題なく」という意味になります。なお、I can't *do* ～ without ...とすると、「…なしでは～できない」という意味を表現することができます。

大丈夫だよって言っているけど、木と話しているってことは……

だいぶ問題があったみたいだね

第40話 A Midnight Request

真夜中のお願い

"Would you do me a favor? You play 'Für Elise' really well, but could you please turn down the volume a little? You see, I am almost done writing my symphony," said a voice in the music room in the middle of the night.

- **favor** 親切な行為
- **turn down** 〜を下げる
- **symphony** 交響曲

「お願いがあります。あなたの『エリーゼのために』の演奏はとても素晴らしいです。しかし、少し音量を下げていただけないでしょうか。ほら、もうすぐ私の交響曲を書き終えられそうなのです」夜中の音楽室で声がした。

POINT Would you ～?（～してくださいますか？）

"**Would you**[A] do me a favor? You play 'Für Elise' really well, but could you please turn down the volume a little? You see, I am **almost**[B] done writing my symphony," said a voice in the music room in the middle of the night.

A Would you ～?「～してくださいますか？」は、相手に依頼をする表現。Will you ～?「～してくれますか？」よりも丁寧でへりくだった印象を与えます。ちなみにwouldはwillの過去形ですが、過去の話をしているわけではありません。英語の過去形は「離れた感覚、距離感」を表し、この場合も過去形のwouldを使うことで「人に対する心理的な距離感」が生まれ、より丁寧なニュアンスが表されています。

B almostは副詞で「もう少しで、ほぼ」を意味します。I am almost done writingであれば「もうすぐ書き終えられそう」、つまり「まだ書き終えていない」ことが分かります。「ほとんどできているが、完全ではない」というニュアンスを加えることを覚えておきましょう。

夜の音楽室で会話？『エリーゼのために』ってベートーヴェンの？

『未完成』の交響曲といえばシューベルト。偉人たちの会話だね

第41話 Speaking of Summer

夏と言えば

I should have taken her to the seaside instead of the mountains. I never thought a stray dog would dig her up.

stray 飼い主のいない　**dig up** 〜を掘り出す

山じゃなくて、海辺に彼女を連れて行くべきだった。まさか野犬に掘り返されるとは思いもしなかった。

POINT 助動詞should have done（～するべきだったのに）

I should have taken her to the seaside instead of the mountains. I never thought a stray dog would dig her up.

A 過去の行いに対する後悔を表すとき、should have *done*「～するべきだったのに」という表現を使います。「すべきだったが実際には行わなかった（実現しなかった）」ことを、*done* 以下に続けます。「～するべきでなかった」と言うときは、shouldn't have *done* の形で表しましょう。

B dig up「～を掘る」は〈動詞＋副詞〉で成り立つ句動詞です。up の後ろには目的語が続きます。ただし目的語が her「彼女」や it「それ」などの代名詞の場合、代名詞は動詞と副詞の間に置かれます。本文を見ると、dig up her ではなく dig her up と、代名詞の her が dig と up の間に置かれていることが分かりますね。

山にするか、海にするか……恋人との旅行の話かと思ったら

死体を処理する話だったんだね

第42話

The Last Time

最後の時

The patient smiled at his wife. “I am so happy you’ve kept talking to me till the end,” he said, just before he passed away. Making sure he was dead, the nurse took off his VR goggles and earphones.

pass away 亡くなる　**make sure** ～を確かめる
take off ～をはずす

患者は妻に微笑みかけた。「最期まで、君が私に声をかけ続けてくれて幸せだ」彼はそう言い残してまもなく亡くなった。彼が息を引き取ったのを確認した後、看護師は彼のVRゴーグルとイヤフォンを外した。

POINT 動名詞を目的語にとる動詞（keep）

The patient smiled at his wife. “I am so happy you’ve **kept talking** [A] to me till the end,” he said, just before he passed away. **Making sure he was dead,** [B] the nurse took off his VR goggles and earphones.

A keep は動名詞を目的語にとる動詞の 1 つ。keep *doing* で「〜し続ける」を意味します。to 不定詞と動名詞の両方を目的語にとる動詞もありますが、keep は動名詞のみが続きます。

B 接続詞の after「〜した後に」が省略された分詞構文です。元の文は、After she made sure he was dead, the nurse took off his VR goggles and earphones. となります。「〜した後に…が起こった」という、時間的な前後関係を表した文です。

声をかけ続けてくれた奥さんが仮想現実だったってこと？

近い将来、本当にありそうな話だけど、幸せならいっか

第43話

Friendship

友情

"You are always so kind to me. Thank you. But why do you want to be friends with someone like me?"
"Well, I just enjoy talking to the poor."

the poor 貧しい人

「いつも親切にしてくれてありがとう。でも、どうして僕なんかと友だちでいてくれるんだい？」
「まあ、貧乏人と話すことが好きなだけだよ」

POINT 動名詞を目的語にとる動詞（enjoy）

"You are always so kind to me. Thank you. But why do you want to be friends with someone like[A] me?"
"Well, I just enjoy talking[B] to the poor[C]."

A someone like me は「私のような人」という意味です。この like は動詞ではなく前置詞で、「〜のような、〜に似た」という意味です。

B 動名詞を目的語にとるのか、to 不定詞を目的語にとるのかは、動詞によって決まっています。enjoy は動名詞を目的語にとる動詞の 1 つです。enjoy *doing* で「〜することを楽しむ」を意味します。enjoy は to 不定詞を目的語にとることはできないので、注意しましょう。

C the poor は「貧乏な人」という意味です。このように〈the ＋形容詞〉の形で「〜な人々」を表すことができます。たとえば the young であれば「若者」、the dead であれば「死者」という意味になります。

貧乏人と話すのが好き？　変な人だね〜

こんな友だちでもいないよりはマシ……なのか？

第44話

A New Mystery

新たな怪異

"It feels like my room is haunted."

"I don't mind hearing this amount of moaning."

"Eh? What do you mean by the word 'moaning' exactly?"

moan うめき声をあげる　**exactly** 正確に言って

「私の部屋、幽霊が出るみたいなの」

「これくらいのうめき声を聞くのなんて気にならないわよ」

「えっ、うめき声って何のこと？」

POINT 動名詞を目的語にとる動詞（mind）

"It feels like my room is haunted."

"I don't mind hearing this amount of moaning."
A

"Eh? What do you mean by the word 'moaning' exactly?"
B

A 動詞 mind「～を気にする」は、動名詞を目的語にとります。mind *doing* で「～することを気にする、～することを嫌がる」を意味します。動名詞を目的語にとる動詞は他にも、enjoy「～を楽しむ」、finish「～を終える」、avoid「～を避ける」、give up「～を諦める」、postpone「～を延期する」などがあります。

B 前置詞の by は手段や方法を表します。本文の by the word 'moaning' は手段を表し、「うめき声という言葉を使うことによって、あなたは何を意味していますか？」、つまり「うめき声って何のこと？」という意味になります。

家主さえ知らない怪奇現象が起きてるってことか！

思っていた以上の曰く付き物件だったみたいだね

第45話 See You Soon
では近日中に

“We are looking forward to seeing all of you again soon,” the staff told us after the funeral.

look forward to *doing* ～するのを楽しみにする

「また近々、皆様に会える日を楽しみにしています」葬儀の後、スタッフは私たちにそう言った。

POINT 動名詞を目的語にとる動詞（look forward to）

"We are looking forward to seeing all of you again soon," the staff told us after the funeral.

(A: looking forward to seeing / B: told us)

A look forward to ～「～を楽しみにする」に続く動詞は、動名詞の形になります。look forward to *doing*「～することを楽しみにする」という形で覚えましょう。look forward to の to は to 不定詞の to ではないので、後ろに動詞の原形を続けることはできません。

B 動詞 tell は、tell *A B*「A に B を伝える」という形で使われます。*A* には伝える相手を、*B* には伝える内容を続けます。本文では、*B* に当たるのが "We are looking forward to seeing all of you again soon," の部分です。セリフが強調され、文頭に出てきています。

お葬式を楽しみにするのはダメじゃない？

しかも、近々って……

第46話 Inheritance

受け継がれるもの

Thirty years ago, I killed my father and inherited his money. Lately, I feel my son staring at me.

inherit ～を相続する　**stare at** ～をじっと見つめる

30年前、私は父を殺し、遺産を手に入れた。最近、息子が私をじっと見ているのを感じる。

POINT SVOC(＝分詞)の文

Thirty years ago, I killed my father and[A] inherited his money.
Lately, I feel my son staring[B] at me.

A and「～と…」は等位接続詞と呼ばれ、文法上対等の関係である語や句、また節同士をつなぐ働きを持ちます。本文では、and が I killed my father「私は父親を殺した」という SVO の節と、同じく SVO の節である (I) inherited his money「(私は) 彼の遺産を手に入れた」をつないでいます。

B feel O C は第５文型の表現で、O＝C（O は C である）という関係が成り立ちます。本文では C に現在分詞が入っているため、「O が C しているのを感じる」という意味になります。「O が C されているのを感じる」という受け身の意味を表す場合は、C には過去分詞が入ります。

息子が自分を見ているってことは……

父殺しの発想も受け継がれてしまったんだね

第47話 Temporary Distress

一時の苦しみ

"Would you mind my opening the window? I can't breathe because of the smoke."
"Keep calm. We will soon be quite comfortable."

breathe 息をする　**calm** 落ち着いた　**comfortable** 苦痛のない

「窓を開けても構いませんか？　煙で息が苦しいです」
「落ち着いて。もうすぐ楽になれますよ」

POINT 動名詞の意味上の主語

"Would you mind my opening the window? I can't breathe because of the smoke."
A: Would you mind my opening
B: because of

"Keep calm. We will soon be quite comfortable."

A Would you mind my *doing*? は、直訳すると「あなたは私が～することを嫌がりますか？」。つまり、「～してもいいですか」と相手に許可を求める表現です。動名詞の前に所有格の代名詞が入ることで、動名詞の意味上の主語（動作主）を明示する役割を果たしています。本文の場合、my opening とあるので、窓を開けるのは「あなた」ではなく「私」です。

B because of は「～のせいで、～が原因で」という意味を表す群前置詞で、of の後には名詞か動名詞を続けます。一方、because「～なので」は接続詞で、後ろに〈主語＋動詞〉を続けます。混同しないように注意しましょう。

もうすぐ楽になれるってどういうこと？

もしかして閉め切った空間で命を断つつもりじゃ……

第48話 Once Activated

起動してしまったら

It is easy to activate this large robot. The problem is switching it off.

activate ～を作動させる **switch off** ～のスイッチを切る

この巨大ロボットを起動するのは簡単だ。問題は、それを止めることだ。

POINT 形式主語（～することは…だ）

It is easy to activate[A] this large[B] robot. The problem is switching it off.

A It is *A* (for 人) to *do* ～は、「(人にとって) ～することは A だ」という意味を表す表現。この It は形式主語と呼ばれるもので、真主語（＝主語に当たる具体的な内容）は to 以下で述べられています。本文の場合、to activate this large robot「この巨大ロボットを起動すること」が真主語に当たります。英語では長い主語を文頭に置かない傾向があるため、形式主語の It から文が始まる、と覚えておきましょう。

B this「この」と large「大きい」は、どちらも名詞の robot を修飾する形容詞です。名詞を修飾する形容詞が２つ並ぶとき、this「この」や that「あの」のような指示形容詞を最初に、その後ろに large「大きい」や small「小さい」のような大きさを表す形容詞を続けます。large this robot という語順にはならないことに注意しましょう。

起動が簡単な巨大ロボットだなんて便利だね

止めるのが難しいってことは、下手すると街を破壊し続けるんじゃ

第49話 Still Hungry

食べ足りない

"I'm hungry. I want something more to eat," Hansel said to Gretel.
Gretel replied, "But there is nothing else left. We've already eaten the whole candy house, all the bread, and the witch."

whole すべての　**witch** 魔女

「お腹が空いたよ。何かもっと食べるものがほしいな」ヘンゼルがグレーテルに言った。
グレーテルは答えた。「でも、何にも残ってないわ。もうぜんぶ食べちゃったんだから、お菓子の家も、パンも、それから魔女も」

POINT to 不定詞の形容詞的用法（～するための）

"I'm hungry. I want something more to eat,"[A] Hansel said to Gretel.
Gretel replied, "But there is nothing else left. We've already eaten the whole candy house[B], all the bread, and the witch."

A something more to eat で「食べるためのもっと多くのもの」、すなわち「何かもっと食べるもの」という意味です。to eat は形容詞的用法の to 不定詞で、something more を修飾しています。このように to 不定詞の形容詞的用法は、「～するための」という説明を後ろから名詞に加えることができます。

B whole は「全体の、すべての」という意味の形容詞です。the whole candy house で「お菓子の家全体」の意味になります。〈the whole ＋名詞〉の形で使います。whole the candy house とは言えないので注意しましょう。

きっと育ちざかりなんだね

だからって魔女まで食べてしまって、しかもまだ空腹って……

第50話 Wanna Meet You Again

また会いたくて

The woman pushed a man over a cliff to injure him. Now she is taking care of him as a nurse.

cliff 崖　**injure** ～を傷つける　**take care of** ～の世話をする

女は男にけがをさせるために、崖から突き落とした。彼女は今、看護師として彼の看病をしている。

POINT to 不定詞の副詞的用法（～するために）

The woman pushed a man over a cliff [A] to injure [B] him. Now she is taking care of him as a nurse.

A push ～ over a cliff で「～を崖から突き落とす」という意味になります。この文では push は他動詞として使われているので、The woman が S、pushed が V、a man が O の SVO の文です。

B 〈to ＋動詞の原形〉で「～するために」という意味を表すのが、to 不定詞の副詞的用法です。to injure him で「彼（＝男）にけがをさせるために」という意味になり、「崖から突き落とした」という行動の目的を説明しています。

どうしてけがさせたんだろう？

好きな人のそばで面倒を見たかった、ってところかな

第51話 A Reunion

再会

"I'm glad to see you again."
"Well, I am not. How could the man who killed me get into heaven?"

glad 嬉しい　**heaven** 天国

「またお会いできて嬉しいです」
「いいや、俺は嬉しくない。どうして俺を殺した奴が天国に来れたんだ？」

POINT 感情の原因を表す to 不定詞

"I'm glad to see you again."
A
"Well, I am not. How could the man who killed me get into
B
heaven?"

A to 不定詞の副詞的用法は「～して」という意味で、感情の原因を表すこともできます。I'm glad to see you again. の to see 以下は、まさにこの用法の to 不定詞です。I'm glad「私は嬉しいです」と述べた後、その理由を to see you again「またあなたに会えて」と説明しています。

B I am not. の not の後ろには、形容詞の glad「嬉しい」が省略されていると考えられます。英語では、同じ単語の繰り返しを避けるために、文脈から明らかに意味が分かる場合は、その単語を省略することが多いです。

また会えて嬉しい……って、ここは死後の世界!?

なんて人殺しが天国に来れてるの!?

第52話 The Rules

心得

"It is important for nurses to take an interest in the people around them. You understand, don't you, Jane?" the head nurse said to the new recruit.
"Yes, of course. But I'm Alice."

take an interest in ～に興味を持つ　**new recruit** 新人

「看護師にとって周囲の人に関心を持つことは大切です。分かりますね、ジェーン？」看護師長が新人に言った。
「はい、もちろんです。でも、私はアリスです」

POINT to不定詞の意味上の主語（Aにとって～することは…だ）

"It is important for nurses to take an interest in the people around them. You understand, don't you, Jane?" the head nurse said to the new recruit.
"Yes, of course. But I'm Alice."

A It is ... for *A* to *do* ～で「Aにとって～することは…だ」という表現です。for *A* の部分は、to不定詞の意味上の主語を表しています。よって、for nurses to take an interest in ～で「看護師が～に関心を持つこと」という意味になります。この表現に限らず、to不定詞の意味上の主語は直前に for *A* を置いて表すことを覚えておきましょう。

B ～, don't you? という形から、この文が付加疑問文であることが分かります。付加疑問文は「～ですよね？」と、相手に確認や同意を求めるときに使う表現です。本文では、「看護師にとって周囲の人に関心を持つことは大切」だということが理解できているかどうか、相手に確認を求めています。

看護師さんの心構えとしては正しいけど

当の本人が周囲に無関心みたいだね

第53話 Too Soon

まだ早い

"My son is too young to go shopping alone!"
"But your son is already thirty, isn't he?"

go shopping 買い物に行く　**alone** 一人で

「息子は幼すぎるから一人で買い物になんて行けないわ！」
「しかし、彼はもう30歳ですよね？」

POINT too ... to 構文（…すぎて～できない）

"My son is too young to go shopping alone!"
A
"But your son is already thirty, isn't he?"
B

A too ... to ～で「…すぎて～できない」という意味を表します。too の後ろには、形容詞や副詞の原級が入ります。to の後ろには動詞の原形を続けますが、「～できない」と否定の意味合いになることに注意しましょう。

B ～, isn't he? という形になっているので、この文は「～ですよね？」と相手に確認や同意を求めるときに使う付加疑問文です。本文では、your son is already thirty「あなたの息子はもう 30 歳だ」と事実を述べた後、相手に確認を求めています。

小さい子のお使いを心配するお母さんかと思いきや……

過保護すぎるのも考えものだね

第54話 Overflowing with Wishes

あふれた願い

I told the demon to increase the number of wishes to 100. But the demon said, "Everyone tells me the same thing, so there are already more than 100 million wishes waiting to be granted as it is."

demon 悪魔　**wish** 願い事　**grant** ～を叶える
as it is 現状で

私は悪魔に、願い事の数を100個に増やすように言った。しかし、悪魔は言った。「皆さん同じことをおっしゃるので、現状すでに1億を超える願い事が叶えられるのを待っています」

POINT tell *A* to *do*（Aに～するように言う）

I told the demon to increase [A] the number of [B] wishes to 100.
But the demon said, "Everyone tells me the same thing, so there are already more than 100 million wishes waiting to be granted as it is."

A 動詞 tell は、tell *A* to *do* で「Aに～するように言う」という意味を表します。よって、本文の I told the demon to increase ～は「私は悪魔に～を増やすように言った」という意味になります。to 不定詞の動作を行うのは、文の主語の I「私」ではなく、the demon「悪魔」です。

B the number of ～は「～の数」という表現です。よく似た表現に a number of「たくさんの～」があります。本文の the number of wishes のように動詞の目的語となる名詞句を作るだけでなく、文の主語になることもできます。その場合、the number of は単数扱い、a number of は複数扱いになるので、主語に続く動詞の形に注意しましょう。

誰でも一度は考えるよね、願い事を増やしてもらうの

すべての願い事が実現するのはいつになるんだろ

第55話

Advice from the Future

未来からの忠告

One day, a man appeared and insisted he was my future self. He told me many times not to eat too much. I ignored his advice, and then he stopped coming to see me. Thank goodness!

insist ～だと強く言い張る　**ignore** ～を無視する

ある日、男が現れて、自分は未来の僕だと主張した。そいつは僕に暴食をするなと何度も忠告した。忠告を無視していると、彼がやってくることはなくなった。せいせいしたぜ！

POINT tell *A* not to *do*（A に～しないように言う）

One day, a man appeared and insisted he was my future self. He **told me many times not to eat**[A] too much. I ignored his advice, and then he **stopped coming**[B] to see me. Thank goodness!

A tell *A* not to *do* で「A に～しないように言う」という意味になります。これは、「A に～するように言う」という意味を表す tell *A* to *do* の否定形です。否定形にするときは、to *do* の前に not を置くことを覚えておきましょう。

B 動詞によって、目的語に to 不定詞をとるか、動名詞をとるかはさまざまですが、stop は両方とも目的語にとることができる動詞です。stop to *do* だと「～するために立ち止まる」、stop *doing* だと「～するのを止める」という意味になります。本文の stopped coming は、目的語に動名詞をとるパターンなので、「来るのを止める」という意味です。

未来の自分が現れなくなったのはどうして？

説得をあきらめたのか、もしくはさらなる暴食で寿命が縮んで……

第56話

Clockwork

時計仕掛け

One day, my grandfather forgot to wind his old clock.
Since then, he has not moved.

wind（時計などのネジ）を巻く　**move** 動く

ある日、祖父は古時計のネジを巻くのを忘れてしまった。
それ以来、祖父は動いていない。

POINT forget to *do*（～するのを忘れる）

One day, my grandfather forgot to wind[A] his old clock. Since then[B], he has not moved.

A 動詞 forget は、forget to *do* で「～するのを忘れる」という意味になります。それをするのを忘れてしまった、すなわち実際には行っていない、ということが分かります。一方、forget *doing* は「～したことを忘れる」という意味になります。このように、forget は to 不定詞と動名詞の両方を目的語にとることができる動詞ですが、意味が異なるので注意しましょう。

B since then は「それ以来、それから」という意味です。過去のある時点から現在までの時間のつながりを示す表現なので、本文のように現在完了形と一緒に使われることも多いです。

なんだか不思議な話だね

お爺さんと古時計、一心同体だったってことかなぁ

第57話

Still Noisy

まだうるさい

My neighbors are so loud that I can't sleep. But I am sure I made them keep quiet last night.

neighbor 隣人　**loud**（音が）大きい　**quiet** 静かな

隣人の声がうるさくて眠れない。昨晩静かにさせたはずなのに。

POINT 使役（～に…させる）

My neighbors are so loud that I can't sleep. But I am sure I made them keep quiet last night.

A 「とても…なので～」という意味を表す so ... that 構文です。so loud that I can't sleep で「うるさくて眠れない」という意味になります。so の後ろに原因が、that の後ろに結果が述べられています。so の後ろには、形容詞か副詞が入ります。

B 使役動詞 make は make *A do* で「A に～させる」という意味を表します。make には「強制的に～させる」というニュアンスがあります。そのため、本文の I made them keep quiet「私が彼ら（＝隣人）を静かにさせた」という部分からは、隣人は望んでいなかったけれど、強制的に静かにさせられたということが読み取れます。

静かにさせたって、もしかして殺したってこと!?

それでもうるさいっていうのは、幽霊になってもまだ……

第58話

Returning the Favor

恩返し

"Sorry to bother you so late at night. I'm the cockroach you let get away that time."
"Actually, that's not true. I was just so scared of you that I couldn't do anything!"

bother ～に迷惑をかける　**cockroach** ゴキブリ
get away 逃げる

「こんな夜遅くにすみません。あのとき見逃していただいたゴキブリです」
「違うんだ。怖くて何もできなかっただけだ！」

POINT 原形不定詞

"Sorry to bother you so late at night. I'm the cockroach you
A
let get away that time."
B
"Actually, that's not true. I was just so scared of you that I couldn't do anything!"

A sorry to *do* で「～してすみません」という意味になります。今まさに起こっている出来事に対して謝罪する表現です。一方、sorry for ～とすると、過去の出来事に対して謝罪する表現になります。使い分けを押さえておきましょう。

B let *A do* で「A に～させる」という意味です。この *do* を原形不定詞と呼びます。強制的なニュアンスのある make とは異なり、let は「許可する」というニュアンスになります。本文の the cockroach you let get away は you の前に目的格の関係代名詞が省略されており、「あなたが逃げるのを許可したゴキブリ」という意味を表しています。

まるで鶴の恩返しみたいな話だね

ただ、とんでもない勘違いだったようだけど

第59話 A Trap

罠

"Help me! I'm locked in here!" If you go to the classroom at midnight, you will hear this coming from the locker. If you do nothing, it will turn into a tsk-tsking sound.

lock 〜を閉じ込める　**turn into** 〜に変わる
tsk-tsking 舌打ちする

「助けて！　閉じ込められてしまったんだ！」深夜、その教室に行くと、ロッカーからこんな声が聞こえてくる。何もしないでいると、それは舌打ちに変わる。

POINT 受動態（～される）

"Help me! I'm locked in here!" If you go to the classroom at midnight, you will hear this coming from the locker. If you do nothing, it will turn into a tsk-tsking sound.

(A: I'm locked　B: If you go)

A 受動態は〈be 動詞＋過去分詞〉の形で「～される」という意味を表します。I'm locked で「閉じ込められている」という意味です。「誰［何］によって～されているのか」を示したいときは、〈by ＋人［もの］〉の形を続けることもできます。

B if「もし～ならば」は条件を表す接続詞です。条件を表す副詞節の中では、未来のことを表す場合でも、動詞は現在形を使います。したがって、本文でも副詞節の中では go という現在形を用いています。

ロッカーに閉じ込められた子どもだと思ったら……

誰かが扉を開けるように誘っているんだね

第60話 A Mistake

誤認

I was surprised at the news that the serial killer had been arrested. The police are so incompetent.

serial 連続的な **killer** 殺人犯 **arrest** ～を逮捕する
incompetent 無能な

連続殺人犯が逮捕されたというニュースに私は驚いた。警察はなんて無能なんだ。

POINT 感情を表す受動態（～に驚く）

I was surprised[A] at the news that[B] the serial killer had been arrested. The police are so incompetent.

A surprise は「～を驚かせる」という意味の動詞なので、「驚かされた」、すなわち「驚いた」と言いたいときは、受動態にする必要があります。I was surprised at ～. で「私は～に驚かされた」、つまり「私は～に驚いた」という意味です。このように、感情を表現するときに受動態を使うことが多いのが、英語の特徴です。

B the news の後ろには同格の that が使われています。同格の that は「～という…」のように、名詞に具体的な説明を加えることができます。the news that ～で「～というニュース」という意味になり、どのようなニュースなのかが同格の that 以降に詳しく説明されています。

安心できるはずのニュースにどうして驚いているんだろ

警察を無能呼ばわり……この人が本当の連続殺人犯？

第61話 Life in the Wild

野生の暮らし

I told my friend I was interested in living in the wild like an animal. One day, he took me to the mountains. There, he took out a hunting rifle and said, "Good luck running away."

wild 大自然　**hunting** 狩猟の　**rifle** ライフル銃
run away 逃げる

僕は友人に、動物のように大自然の中で暮らすことに興味があると言った。ある日、彼が山に連れて行ってくれた。そこで彼は猟銃を取り出し、こう言った。「頑張って逃げてね」

POINT 感情を表す受動態（～に興味がある）

I told my friend[A] I was interested in[B] living in the wild like an animal. One day, he took me to the mountains. There, he took out a hunting rifle and said, "Good luck running away."

A 動詞 tell は、tell *A* that ～で「A に～と言う」という意味になります。この that は省略可能で、本文でも I told my friend (that) I was ～のように、that が省略された形になっています。

B interest は「～に興味を持たせる」という意味の動詞です。そのため、「～に興味を持たせられる」、すなわち「～に興味がある」と言いたいときは、受動態にする必要があります。*be* interested in「～に興味がある」という表現を覚えておきましょう。

動物のように狩られちゃうってこと？

動物の暮らしは危険と隣り合わせだからね

第62話 I Came Here for Nothing

せっかく来たのに

One day, I visited a man. I had heard a rumor that he could see ghosts, but he didn't even offer me a cup of tea. What a fake. I was so disappointed.

rumor 噂　**fake** 偽物　**disappoint** ～をがっかりさせる

ある日、私は一人の男を訪ねた。彼には幽霊が見えるという噂を聞いていたが、私にお茶の一杯も出してくれなかった。なんだ、偽物か。心底がっかりだ。

POINT 感情を表す受動態（～にがっかりする）

One day, I visited a man. I had heard a rumor that he could see ghosts, but he didn't even offer me a cup of tea.[A] What a fake.[B] I was so disappointed[C].

A offerは目的語を２つとることができる動詞です。〈offer＋人＋もの〉で「(人)に（もの）を提供する」という意味を表します。よって、本文のoffer me a cup of teaは「私に一杯のお茶を提供する」という意味になります。

B What a fake. は感嘆文と呼ばれるものです。感嘆文は、〈What ＋ a[an]＋名詞〉という形で表し、「なんて～なのだろう」と感情を込めて強調したいときに使います。

C disappointは「～をがっかりさせる」という意味の動詞なので、「がっかりした」という感情を表現したいときは、受動態の形で使います。*be* disappointedで「がっかりさせられた」、すなわち「がっかりした」という意味になります。

お茶すら出してくれないってことは、何も見えていないってこと？

語り手は幽霊で、男はニセ霊能力者のようだね

第63話 Coming to My Senses

我に返ると

I don't like being insulted in front of everyone. It's such a hassle to wash the blood off my hands every time.

insult ～を侮辱する　**hassle** 面倒なこと
wash *A* off *B* AをBから洗い落とす

人前で侮辱されるのは好きではない。毎回手についた血を洗うのは面倒だからだ。

POINT 動名詞の受動態

I don't like being insulted in front of everyone. It's such a hassle to wash the blood off my hands every time.

A 動名詞の受動態は、〈being ＋過去分詞〉で表します。insult は「〜を侮辱する」という意味の動詞です。I don't like insulting だと「私は侮辱するのは好きではない」という意味になります。「侮辱される」という意味は、この insulting という動名詞を受動態にすれば表すことができます。I don't like being insulted で「私は侮辱されるのは好きではない」という意味です。

B 文頭の It は形式主語で、to 以下の部分が真主語となっています。文自体は S=C（S は C である）という関係が成り立つ第２文型 SVC の文です。よって、to wash the blood off my hands every time「毎回手についた血を洗うこと」＝ such a hassle「面倒なこと」という関係が成り立っています。

人前で侮辱されると手が血で染まる？　それってつまり……

手を洗うのが面倒なくらい、相手を血まみれにしちゃうんだろうね

第64話

Standing By

待機

I was made to steal the money by the boss. After that, he told me to dig a big hole and wait inside it.

steal ～を盗む　**boss** 親分　**inside** ～の中で

親分に金を盗まされた。その後は、大きな穴を掘ってその中で待てと言われている。

POINT 使役動詞の受動態

I was made to steal the money by the boss. After that, he told me to dig a big hole and wait inside it.

(A: was made to steal　B: told me to dig　C: and)

A 使役動詞の make は、make *A do* で「A に～させる」という意味を表します。この用法の make を受動態にして「～させられる」という意味を表す場合、*be* made to *do* という形になります。made の後ろに to 不定詞を続けることに注意しましょう。was made to steal で「盗まされた」という意味です。

B tell *A* to *do* で「A に～するよう言う」という表現です。he told me to dig a big hole で「彼は私に大きな穴を掘るように言った」という意味になります。*A* が to 不定詞の意味上の主語になることがポイントです。

C 接続詞の and は文法的に同じ役割を持つ語句を並列する働きがあります。ここで並列されているのは、dig「～を掘る」と wait「待つ」という２つの動詞で、wait の直前には tell *A* to *do*「A に～するように言う」という表現の to が省略されています。

大きな穴を掘ってその中で待て、ってどういうこと？

きっと親分は金だけ奪って、そのまま埋めてしまうつもりなんだ

第65話 Dieting

ダイエット

I was seen eating human flesh one night by my boyfriend. He said, "Hey, you're supposed to be on a diet."

flesh 肉　**on a diet** ダイエット中で

ある夜、人間の肉を食べているところを彼氏に見られてしまった。彼は言う。「こら、ダイエット中のはずだろ」

POINT 知覚動詞の受動態

I was seen eating human flesh one night by my boyfriend. He said, "Hey, you're supposed to be on a diet."

(A: was seen eating　B: 're supposed to be)

A 知覚動詞の see は、see *A doing* で「A が～しているところを見る」という意味を表します。I was seen eating は、この表現の受動態の形で、「私は食べているところを見られた」という意味になります。*be* seen *doing*「～しているのを見られる」という形を覚えましょう。

B *be* supposed to *do* は「～することになっている」という意味の表現です。この表現は、必ず受動態の形で使います。

人間の肉を食べてる!?

彼氏の反応からすると、人肉食自体は普通のことみたい

第66話 Who Stole It?

盗んだのは誰？

"I lost my wallet."

"That's too bad. I hope you find your stolen wallet."

wallet 財布　**hope** 願う、祈る

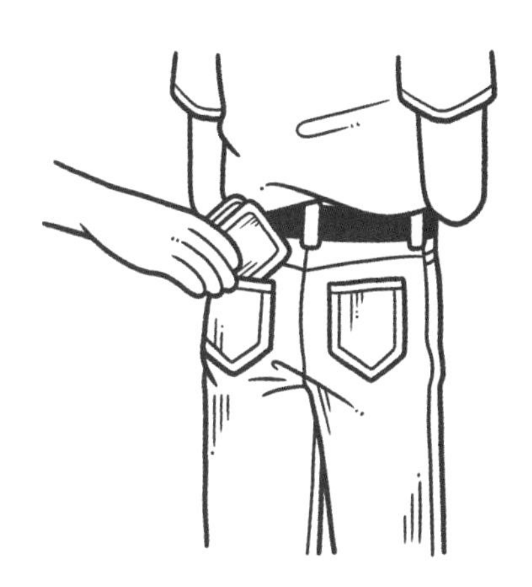

「財布をなくしてしまったの」

「それは残念だね。盗まれた財布が見つかることを願っているよ」

POINT 形容詞的に使う過去分詞

"I lost my wallet."

"That's too bad. I hope you find your stolen wallet."
(A: hope / B: stolen)

A 動詞 hope は、hope that で「～ということを願う」という意味になります。この that は省略可能で、入れても入れなくても意味は変わりません。本文では I hope you find ～.「あなたが～を見つけることを願っています」のように、that は省略されています。

B stolen は動詞 steal「～を盗む」の過去分詞です。ここでは形容詞的に使われており、名詞 wallet「財布」を前から修飾しています。stolen wallet で「盗まれた財布」という意味の名詞句です。

普通の会話に聞こえるけど、なんか違和感が……

財布が盗まれたことを知ってるなんて、もしかして犯人は……

第67話 One Way 一方通行

Every day, I see lots of people going into my neighbor's apartment, but I never see them coming out again.

apartment アパートの一室

私は毎日、隣人のアパートにたくさんの人が入っていくのを見るが、出ていくのは一度も見たことがない。

POINT SVOC（＝分詞）の文

Every day, I see lots of people going [A] into my neighbor's apartment, but [B] I never see them coming out again.

A see *A doing* で「A が～しているところを見る」という意味です。これは SVOC の文なので、O=C（O は C である）という関係が成り立ちます。このように、現在分詞は補語として使われることもあります。

B but「～だが」は逆接を表す接続詞なので、but の後ろには、文の前半からは予想できない内容が書かれていると分かります。物語では、「たくさんの人が入っていくのだから、普通に考えるとたくさんの人が出ていくのだろう」という予想に反して、「出ていくのは一度も見たことがない」という意外な内容が続きます。

たぶんだけど、コッソリ出ていってるんだよ、うん

今なお部屋にいるのか、それとも処分されてしまったのか……

第68話 Telepathy

テレパシー

Having become telepathic, I can now understand my friend's thoughts. I can hear his inner voice.
"Aha, at last, I see you can do it, too."

telepathic テレパシーのある　**thought** 考え　**inner** 心の内の

私はテレパシーを手に入れたので、友人の考えが分かるようになった。彼の心の声が聞こえる。
「ああ、ついに君も聞こえるようになったんだね」

POINT 理由を表す分詞構文

Having become telepathic, I can now understand my friend's thoughts. I can hear his inner voice.
"Aha, at last, I see you can do it, too."

(A: Having become / B: can hear)

A Having become ~, は、「~になったので」という理由を表す分詞構文です。分詞構文が表す意味にはさまざまなものがあるので、どの意味で使われているかは文脈から判断します。〈Having +過去分詞〉で表される分詞構文は、主節の動詞が表す時よりも前の時を示すことを覚えておきましょう。

B I can hear ~. で「(今) ~が聞こえています」という意味を表します。hear は進行形にすることができない動詞ですが、このように助動詞の can と組み合わせることで、「(今) ~している」という意味を表すことができます。これは see「~を見る」や smell「~のにおいがする」も同様です。

ついに君も、ってことは友人もテレパシーが使えたってことだよね

つまり、これまで考えてたことは筒抜けだったってわけだ

第69話

More Than Expected

思ったよりも

Surprised by the sound of gunfire, I jumped up. I had no idea it would be that loud. Killing is hard work.

gunfire 発砲　**killing** 殺すこと

銃声に驚いて私は飛び上がった。こんなにうるさいなんて、思いもしなかった。殺しって大変だなあ。

POINT 受動態の分詞構文

Surprised by the sound of gunfire, I jumped up. I had no idea it
A
would be that loud. Killing is hard work.
B

A 文頭の Surprised は受動態の分詞構文です。受動態の分詞構文は〈Being ＋過去分詞〉で表すのが基本ですが、この Being は省略することもできます。Being を入れても入れなくても、意味は変わりません。

B この that は「それほど、そんなに」という意味の副詞です。副詞は名詞以外の語句を修飾することができます。本文では直後の形容詞 loud「うるさい」を修飾しており、that loud で「こんなにうるさい」という意味を表しています。どちらかというとカジュアルな表現で、口語としてよく使われます。

銃声に驚いた、って聞くと、普通は被害者側を思い浮かべるけど

この人は銃を撃って殺す側だったんだね

第70話 Getting Closer

近づいてくる

"Weather permitting, you'll be able to see the stars at night."
"I can already see them! Look, they're getting bigger and bigger ..."

permit 許す

「天気がよければ、夜には星が見えるでしょう」
「もうすでに見えるわ！　ほら、だんだん大きくなって……」

POINT 独立分詞構文

"Weather permitting, you'll be able to see the stars at night."
A
"I can already see them! Look, they're getting bigger and bigger ..."
B

A 分詞の意味上の主語が主節の主語と異なる場合に、分詞の意味上の主語を分詞の直前に置いて明示したものが独立分詞構文です。本文では、分詞構文の意味上の主語 weather「天気」と、主節の主語 you「あなた」が異なるため、現在分詞 permitting の直前に意味上の主語として weather が置かれています。Weather permitting「天気が許せば」は定型表現として覚えておきましょう。

B 〈比較級＋ and ＋比較級〉で「ますます～、だんだん～」という意味を表すことができます。したがって、形容詞 big「大きい」の比較級 bigger を使った get bigger and bigger は、「だんだんと大きくなる」という意味になります。この get は「～になる」という意味で、SVC の第２文型をとります。

星がだんだん大きくなっているってことは……

猛スピードで落ちてきてるんだろうね、肉眼でも見えるくらい

第71話 Age Gap

年齢差

Two years ago, I was younger than her. Last year, I was as old as she was. And this year, I'm older than she is.

young 若い　**old** 年をとった

２年前、私は彼女より年下だった。去年、私は彼女と同い年になった。そして今年、私は彼女より年上になってしまった。

POINT 比較（A は B と同じくらい～だ）

Two years ago, I was younger than [A] her. Last year, I was as old as [B] she was. And this year, I'm older than she is.

A younger は、形容詞 young「若い」の比較級です。younger than で「～よりも若い」という意味になります。than は、このように形容詞や副詞の比較級とセットで用いられて、「～よりも」という意味を表します。than の後ろには比較の対象が続きます。（参照：比較→ p.153 **B**）

B 〈as ＋形容詞［副詞］の原級＋ as ～〉で「～と同じくらい…」という意味を表します。I was as old as she was は直訳すると「私は彼女と同じくらい年をとっていた」、つまり「私と彼女は同い年だ」という意味になります。

どうして彼女の年を追い越しちゃったの？

彼女はもう亡くなっていて、年齢が変わらないからじゃないかな

第72話

Population of the Future

未来の人口

Japan's population in 2100 was quite large. There were as many as 50,000 people.

population 人口 **quite** かなり **large** 多い

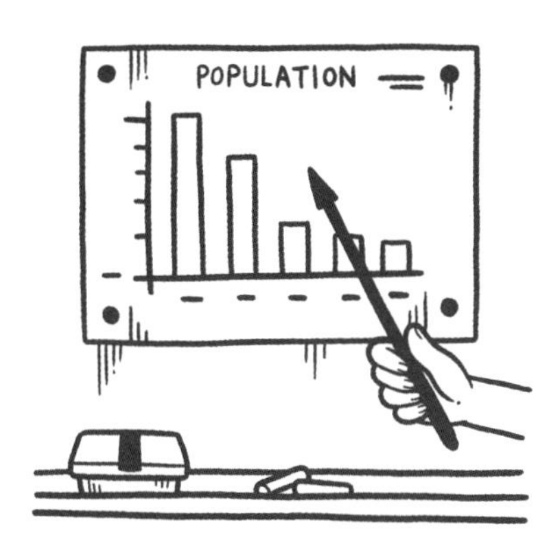

2100年の日本の人口はかなり多かった。だって5万人もの人間がいたんだから。

POINT 比較（～もの多くの）

Japan's population in 2100 was quite large. There were as many as 50,000 people.

A Japan's は「日本の」という意味です。このように、〈名詞＋'s〉で所有格の人称代名詞 my「私の」や your「あなたの」と同じように、「(名詞) の」という所有の意味を表すことができます。

B as many as は「～もの多くの」という比較の表現で、数の多さを強調したいときに使います。as many as 50,000 people で「5万人もの人々」という意味です。後ろには 50,000 people「5万人の人々」のような、具体的な数字を伴った語句を続けるのが普通です。この表現が使われていることから、話し手は「5万人」という数が多いと思っていることが分かります。

どうやら2100年よりも未来の話みたいだね

5万人もののってことは、さらに人口が少なくなっているのかな……

第73話 My Ideal

理想

It is said that the ideal height difference between a couple is 15 cm. But my boyfriend is 17 cm taller than me. Can I use this saw of yours?

ideal 理想の　**height** 身長　**saw** ノコギリ

カップルの理想の身長差は 15 センチだと言われているの。だけど、彼氏は私より 17 センチ背が高くて。あなたのこのノコギリ、使ってもいい？

POINT 比較（A は B より～だ）

It is said that the ideal height difference between a couple is 15 cm. But my boyfriend is 17 cm taller than me. Can I use this saw of yours?

A It is said that で「～と言われている」という意味になります。自分の意見というよりも、一般的に言われていることを述べるときに使う表現です。It は形式主語で、that 以降が真主語になっています。英語には長い主語を避けるという特徴があるため、It が形式的に主語の位置に置かれていることを押さえておきましょう。

B taller は、形容詞 tall「背が高い」の比較級です。my boyfriend is taller than me は「彼氏は私より背が高い」という意味ですが、taller の前に数値を入れることで、「どれくらい背が高いのか」をより具体的に説明することができます。17 cm taller than で「～より 17 センチ背が高い」という意味です。17 cm のような数値を表す語句は、形容詞の比較級の直前に置くことを覚えておきましょう。

なんでノコギリを借りたがってるんだろ？

まさか理想の身長差にするために彼氏を削ろうとして……!?

第74話 Growing

成長

I have a hedgehog, and she is growing up fast. She is now twice as big as I am.

hedgehog ハリネズミ　**grow up** 成長する　**twice** 2倍

ペットのハリネズミがすくすくと育っている。今では私の2倍もある。

POINT 比較（AはBの2倍〜だ）

I have a hedgehog, and she is growing up fast. She is now twice as big as I am.
(A: is growing / B: twice as big as)

A 〈be動詞＋動詞のing形〉で表す現在進行形を使っています。「〜している、〜しているところだ」と、今まさに進行中の動作を表すことができます。she is growing up fastで「彼女（＝ペットのハリネズミ）が今まさにすくすくと育っているところだ」という意味です。

B twice as big asで「〜の2倍大きい」という意味です。このように、「〜の2倍…だ」と言いたいときは、twice as ... as 〜の形で表します。twiceの部分を他の語句に入れ替えて、「〜の何倍…だ」という意味を表すこともできます。例えば、「〜の3倍大きい」なら、three times as big as 〜となります。

飼い主さんの2倍って、いくらなんでも育ちすぎじゃない？

ハリネズミって基本は草食だけど、昆虫や動物も食べるらしいよ

第75話

Two of a Kind

似たもの同士

“I am the most beautiful woman in the world,” said old Snow White, standing in front of the mirror on the wall.

Snow White 白雪姫　**mirror** 鏡

「私は世界で一番きれいな女性なの」と、年老いた白雪姫が壁掛け鏡の前に立って言った。

POINT 比較（A は B の中で一番～だ）

"I am the most beautiful woman in the world," said old Snow White, standing in front of the mirror on the wall.

A the most beautiful は、形容詞 beautiful「きれいな」の最上級で、「一番きれいな」という意味です。beautiful のように、３音節以上の比較的長い形容詞の最上級は、〈the most ＋形容詞〉の形になります。「～の中で最も…」と述べたいときは、the most beautiful woman in the world「世界で最も美しい女性」のように、in を使って範囲を表すことができます。

B カンマ以降の standing から始まる部分は、付帯状況「～しながら」の意味を表す分詞構文です。「鏡の前に立ちながら言った」、すなわち「鏡の前に立っている状態で言った」という意味になります。このように、付帯状況の分詞構文は、２つの動作が同時に行われていることを示します。

童話の白雪姫のお話だね

年老いて、かつてのお妃様と同じ状態になっちゃったんだ

第76話

At Sports Day

運動会

My son races faster than any of his school mates at sports day. He has odds of 1.3.

race 走る　**school mate** 同級生
odds オッズ（競馬の用語で、レースの前に予想される配当率のこと）

運動会で私の息子はどの同級生よりも速く走っている。彼のオッズは1.3倍だ。

POINT 比較（A はどの B よりも～だ）

My son races faster than any of his school mates at sports day.
A
He has odds of 1.3.
B

A 形容詞や副詞の比較級を使って、最上級と同じ意味を表すことができます。faster は副詞 fast「速く」の比較級です。faster than any of his school mates で「どの同級生よりも速く」、すなわち「同級生の中で最も速く」という最上級の意味になります。

B He「彼」は、最初の文の主語 My son「私の息子」を受けています。このように、主格の人称代名詞 he は、三人称単数の名詞を受け、文の主語になることができます。

平和な運動会の話だね

いや、オッズってことは、かけっこで賭けが行われてるんじゃ？

第77話

In View

視線

I find it easier to concentrate when I am studying somewhere with lots of people rather than when I am by myself. So when I study at night, nothing is more suitable for me than somewhere haunted.

- **concentrate** 集中する
- **rather than** ～よりもむしろ
- **suitable** 適した

一人で勉強するより、人がたくさんいる環境の方が集中できるんだ。だから夜勉強するときは、僕にとって心霊スポットよりもふさわしい場所はない。

POINT 比較（Aよりも～なものはない）

I find it easier[A] to concentrate when I am studying somewhere with lots of people rather than when I am by myself. So when I study at night, nothing[B] is more suitable for me than somewhere haunted.

A 動詞 find は、SVOC の形をとることができます。find O C で「O が C であると分かる」という意味です。なお、この it は形式目的語と呼ばれ、to concentrate 以降が真の目的語となっています。目的語が長いので、形式的に it を目的語の位置に置いています。

B 〈nothing is ＋比較級＋ than *A*〉で「A よりも～なものはない」という意味になります。more suitable は、形容詞 suitable「適した、ふさわしい」の比較級です。よって、nothing is more suitable for me than *A* で「私にとって A よりもより適したものはない」という意味を表しています。

人の目がある方が集中できるって言うけど、なぜ心霊スポット？

この人は、人以外に見られていても集中できるみたいだね

第78話 Which Is Which?

どっちがどっち？

This is my clone whom I caught last week. Now, help me get rid of him. He'll definitely say to you, "I am the original," but don't be fooled.

- **clone** クローン
- **get rid of** ～を処分する
- **definitely** 間違いなく
- **fool** ～をだます

これは私が先週捕まえた私のクローンだ。さあ始末するのを手伝ってくれ。きっと「私が本物だ」と言ってくるだろうが、だまされないように。

POINT 目的格の関係代名詞

This is my clone whom I caught last week. Now, help me get rid of him. He'll definitely say to you, "I am the original," but don't be fooled.

A whom は目的格の関係代名詞です。先行詞に「人」をとり、関係代名詞節の中で動詞や前置詞の目的語の働きをします。ここでは、my clone「私のクローン」が先行詞で、whom は関係代名詞節の中の動詞 caught の目的語になっています。

B help *A* (to) *do* で「A が～するのを手伝う」という表現です。本文では help me get rid of ～と動詞の原形が使われていますが、help me to get rid of ～とすることもできます。どちらも意味は同じです。

逃げ出したクローンが捕まって、一件落着♪

本当に捕まった方がクローンなのかな……？

第79話 It Came Back, But ...

戻ってきたけど

I have many reptiles as pets. My crocodile which ran away the other day came back ... as a purse.

reptile 爬虫類　**crocodile** ワニ　**purse** 財布

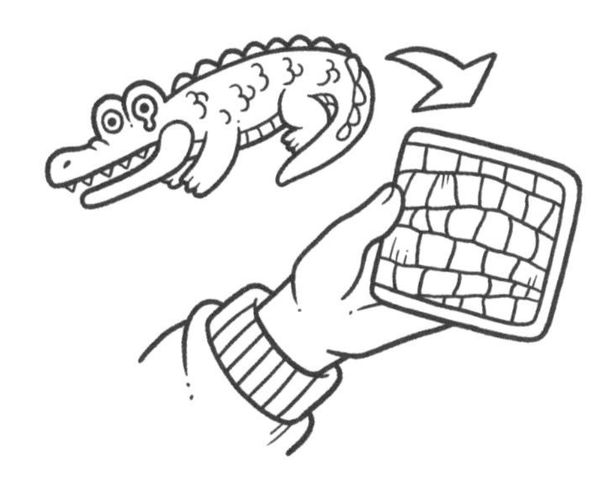

私はペットとして爬虫類をたくさん飼っている。この前逃げ出したワニが戻ってきた……財布として。

POINT 主格の関係代名詞

I have many reptiles as[A] pets. My crocodile which[B] ran away the other day came back ... as a purse.

A as には接続詞と前置詞の両方の用法がありますが、この as は前置詞として使われています。見分け方は、後ろに節が続いているか、それとも名詞が続いているかです。前置詞の as は「～として」という意味を覚えておきましょう。

B My crocodile which ran away the other day までが文の主語です。which は主格の関係代名詞で、先行詞の My crocodile「私のワニ」を修飾しています。このように、主格の関係代名詞 which は、「人以外」のものを先行詞にとり、関係代名詞節の中で主語の働きをすることが特徴です。

戻ってきたのはよかったけど、財布として⁉

悲しい再会だね……

第80話

Odd Eyes

オッドアイ

"This is a cat whose eyes are different colors. I would like to buy it right away."
"Thank you very much. It was quite difficult to paint it."

right away すぐに **paint** ～を塗る

「これはオッドアイの猫だね。すぐにでも買いたいのだが」
「ありがとうございます。塗るのにはかなり苦労しました」

POINT 所有格の関係代名詞

"This is a cat whose eyes [A] are different colors. I would like to [B] buy it right away."
"Thank you very much. It was quite difficult to paint it."

[A] whose は所有格の関係代名詞です。a cat whose eyes are different colors は直訳すると「両目が異なる色の猫」となります。所有格の関係代名詞は、所有格の代名詞 my「私の」や your「あなたの」と同じように、「～の」という意味を表します。もともとは This is a cat.「これは猫です」と Its eyes are different colors.「(その猫の) 両目は異なる色です」という２つの文から成っており、Its「その」を whose に置き換えることで１文にまとめたと考えられます。

[B] would like to *do* は、「～したい」という意味の表現です。want to *do* と比べると、would like to *do* の方がより丁寧な言い方になります。そのため、店員と客の会話と考えられる本文のような場面では、want to *do* ではなく would like to *do* を使うことが多いです。

オッドアイって左右で目の色が違う現象のことだよね

塗るのに苦労したってことは先天的じゃないみたい……

第81話

Suicide Spot

自殺の名所

"This is a suicide spot, right?"
"No, there has never been anyone that committed suicide here."

suicide 自殺　**spot** 場所　**commit**（罪・過失など）を犯す

「ここって自殺の名所なんですよね？」
「ううん、ここで自殺をした人は一人もいないよ」

POINT 主格の関係代名詞 that

"This is a suicide spot, right?"
"No, **there has never been**[A] anyone **that**[B] committed suicide here."

A there has never been ～は、「～がいる」という意味を表す there is ～構文を応用したものだと考えることができます。there has never been anyone で「(今まで) 誰もいなかった」という意味になります。このように、there is ～構文は意味に応じて、be 動詞の時制を変化させて使うことができます。

B この that は主格の関係代名詞です。先行詞に「人」をとり、関係代名詞節の中で主語の働きをしています。本文の場合、同じく主格の関係代名詞である who に置き換えることが可能です。なお、主格の関係代名詞 that は、先行詞が「人以外」の場合にも使えます。その場合、that は which に置き換えることができます。

自殺の名所って言われてるのに、自殺した人がいない？

みんな自殺に見せかけて殺されているんだね

第82話 Grammatically Speaking

文法的に言うと

A woman found a letter that her husband had written to his friend. He wrote in the letter, "I have two daughters who have golden hair."
The woman thought, "He makes it sound like we also have other daughters who don't have golden hair. He really doesn't know how to use commas correctly."

golden 金色の　**comma** カンマ　**correctly** 正しく

女性は、夫が友人に宛てて書いた手紙を見つけた。彼は手紙に「自分には金色の髪をした２人の娘がいる」と書いていた。
女性は思った。「まるで他に、金髪ではない娘がいるみたいな言い方じゃない。彼って本当に、カンマの正しい使い方を知らないんだから」

POINT 限定用法と継続用法

A woman found a letter that her husband had written to his friend. He wrote in the letter, "I have two daughters who (A) have golden hair."
The woman thought, "He makes it sound like we also have other daughters who don't have golden hair. He really doesn't know how to use (B) commas correctly."

A 関係代名詞には限定用法と継続用法があり、カンマの有無で見分けることができます。本文の who は、カンマがないので限定用法です。限定用法を使うことで、「金髪の２人の娘以外にも娘がいること」が示唆されています。一方、I have two daughters, who have golden hair. のようにカンマを使った継続用法で表すと、「娘は２人しかおらず、その２人は金髪だ」という意味になります。継続用法は補足情報を加えるときに使います。

B how to *do* で「～する方法」という意味になります。ここでは how to use commas correctly で「カンマの正しい使い方」という意味になり、動詞 know「～を知っている」の目的語となる名詞句を作っています。

シンプルに書き間違えだったのかな？

この書き方だと、隠し子がいるようにも読めちゃうけどね

第83話

Dreams

夢

I often have dreams in which I am asleep myself. Lately, I have even been dreaming in my dreams. No matter how many times I wake up in my dreams, I don't actually wake up in reality.

asleep 眠っている　**wake up** 目を覚ます　**reality** 現実

私は眠っている夢をよく見る。最近、夢の中でも夢を見るようになった。夢の中で何度目覚めても、現実世界で目覚めることはない。

POINT 前置詞を伴う関係代名詞

I often have dreams in which I am asleep myself. Lately, I have even been dreaming in my dreams. No matter how many times I wake up in my dreams, I don't actually wake up in reality.

Ａ I often have dreams の dreams「夢」を、in which 以降が修飾しています。I often have dreams.「よく夢を見る」と I am asleep myself in (the) dreams.「(その) 夢の中で眠っている」という２つの文章が組み合わさっているイメージで、「私は眠っている夢をよく見る」という意味になります。in which は〈前置詞＋関係代名詞〉の形で、関係副詞の where に置き換えることもできます。

Ｂ 形容詞は限定用法と叙述用法に分かれ、asleep「眠っている」は叙述用法のみで用いられます。叙述用法の形容詞は、本文のように第２文型（SVC）の補語 (C) としてしか使うことができず、名詞を前から修飾することができません。一方、限定用法の形容詞は、total number「合計の数」のように、名詞を前から修飾します。

夢の中の夢の中の夢の中の……

はたして現実に戻ってくることはできるんだろうか……？

第84話 A New Drug

新薬

The scientist said, "I've developed a new drug. When you take it, what you are thinking will come true."
I took the drug and said, "It's impossible. No one could make a drug like that." And then the scientist disappeared right in front of my very eyes.

- **develop** ～を開発する
- **come true** 現実になる
- **impossible** 不可能な
- **disappear** 姿を消す

科学者が言った。「私は新しい薬を開発した。これを飲むと、君が考えていることが現実になる」
僕はその薬を飲んで答えた。「ありえない。そんな薬を作れる人なんて、いるわけがない」すると、まさに目の前で科学者は消えてしまった。

POINT 関係代名詞の what

The scientist said, "I've developed a new drug. When you take it, what (A) you are thinking will come true."
I took the drug and said, "It's impossible. No one could make (B) a drug like that." And then the scientist disappeared right in front of my very eyes.

A 関係代名詞の what は、「〜すること、〜するもの」という意味を表し、文の主語や目的語になる名詞節を作ることができます。本文の what you are thinking「あなたが考えていること」という関係代名詞の what 節は、文の主語になっています。なお、関係代名詞の what 自体は、節の中で動詞 thinking の目的語の働きをしており、the thing that you are thinking と言い換えることもできます。

B No one could *do* 〜で「誰も〜することができない」という意味です。このように、否定の意味合いを持つ語句が主語にある場合、not がなくても、否定文と同じ意味になります。no one「誰も〜ない」の他に、nobody「誰も〜ない」や nothing「何も〜ない」なども同様です。

考えたことが実現する薬なんて、魔法みたい！

どうやらいいことばかりじゃなさそうだけど……

第85話

After Reading

読み終えたときには

This is a classified document. Whoever reads it will be immediately erased.

classified 機密の **document** 文書 **erase** ～を消す

これは機密文書です。これを読んだ人は誰でもすぐに消されてしまうでしょう。

POINT 複合関係代名詞

This is a classified document. Whoever[A] reads it will be[B] immediately erased.

A whoever は複合関係代名詞と呼ばれるもので、「～する人は誰でも」という意味を表します。Whoever reads it が本文の主語で、このように文の主語となる名詞節を作ることができます。なお、whoever は anyone who と置き換えることができるので、本文は Anyone who reads it will be ～とすることも可能です。

B 受動態を使って未来のことを表したいときは、〈will be ＋過去分詞〉の形にします。「～されるだろう」という意味です。助動詞 will の直後なので、be 動詞は必ず原形の be を使います。

えっ、うわ、私、この機密文書、読んじゃったよ！

おや、チャイムだ。こんな時間に誰か来たみたいだよ

第86話 Who Are These Glasses For?

誰のグラス？

On the way home from a haunted graveyard, we went to a family restaurant. The waitstaff there brought us more glasses of water than were needed.

graveyard 墓地　**waitstaff** 給仕係　**glass** グラス

幽霊が出ると噂の墓場からの帰り道、みんなでファミレスに行った。給仕係は私たちに、必要以上の数の水が入ったグラスを持ってきた。

POINT 関係代名詞的に使う than

On the way home from a haunted graveyard, we went to a family restaurant. The waitstaff there brought us more glasses of water (A) than (B) were needed.

A bring は目的語を２つとることができる動詞です。〈bring ＋人＋もの〉で「（人）に（もの）を持ってくる」という意味になります。本文の brought us more glasses of water では、us が「人」、more glasses of water が「もの」に当たります。

B more glasses of water than were needed で「必要以上の数のグラス」という意味になります。than were needed が more glasses of water を、関係代名詞節と同じように後ろから修飾していることがポイントです。このように、than は関係代名詞のような働きをすることがあります。

必要以上のグラスって、お店の人には何人に見えたんだろう

肝試しで連れてきちゃったのかもね

第87話 Deadly Weak

死ぬほど弱い

"If I had more strength, you wouldn't be suffering so much right now," I said ... while choking him.

strength（肉体的な）力　**suffer** 苦しむ　**right now** たった今
choke ～を窒息させる

「もし私にもっと力があれば、今あなたはそれほど苦しんでなかっただろうに」彼の首を絞めながら私は言った。

POINT 仮定法過去

"If I had more strength, you wouldn't be suffering so much right now," I said ... while choking him.

A (If I had more strength, you wouldn't be)
B (while)

A 本文の If I had ～, you wouldn't be ... は、現在の事実とは異なることを仮定して述べるときに使う仮定法過去の文です。〈If S' V'（過去形）～, S ＋ would（助動詞の過去形）＋ V ...〉で「もし S' が V' なら、S は V するだろうに」という意味になります。if 節の中では動詞の過去形を、主節では助動詞の過去形を使うことがポイントです。would の他に could や might を使うこともできます。

B 接続詞 while は、「～する間に、～と同時に」という意味を表します。後ろには通常、主語と動詞が続きますが、主節の主語と while 節の主語が同じ場合、while 節の主語と be 動詞は省略されることも多いです。本文では while I was choking him の I was が省略されていると考えられます。

首を絞めながら「苦しんでなかっただろうに」って……

一瞬で楽にできたのに、って意味だろうね

第88話 Burial Site

埋葬地

As an archaeologist was excavating, he said to his colleague, "If you hadn't stolen my research, I wouldn't have buried you."

archaeologist 考古学者　**excavate** 穴を掘る、発掘をする
colleague 同僚　**research** 研究　**bury** ～を埋める

考古学者が穴を掘りながら同僚に言った。「もし君が私の研究を盗まなかったら、君を埋葬することはなかったのに」

POINT 仮定法過去完了

As[A] an archaeologist was excavating, he said to his colleague, "If[B] you hadn't stolen my research, I wouldn't have buried you."

A 接続詞の as には、理由を表す「～なので」や様態を表す「～のように」などさまざまな意味がありますが、ここでは時を表す「～するときに」の意味で使われています。「考古学者は穴を掘っているときに、同僚に～と言った」という意味を表しています。

B 本文の If you hadn't stolen ～, I wouldn't have buried ... は、仮定法過去完了の否定文です。過去の事実とは異なることを仮定して述べるときに使います。〈If S' V'（過去完了形）～, S ＋ would（助動詞の過去形）＋ have ＋過去分詞 ...〉「もし S' が V' だったなら、S は V しただろうに」の形を覚えておきましょう。仮定法過去と同じく動詞の形がポイントで、if 節では過去完了形、主節では〈助動詞の過去形＋ have ＋過去分詞〉を使います。

考古学者が穴を掘っているのは、研究のためじゃなかったんだね

研究を盗んだ相手を埋めるつもりだったんだ

第89話 I Wish I Were

願いが叶うなら

Whenever I was busy, I would often say to myself, "I wish I were a bird." However, I have never wanted to be a bird as much as I do right now. This plane is descending really rapidly.

descend 降下する　**rapidly** 急速に

「鳥になれたらなぁ」忙しいとき、私はよくそう思っていたものだった。しかし、今この瞬間ほど鳥になりたいと思ったことは一度もない。飛行機はどんどん高度を下げていく。

POINT wish ＋仮定法過去

Whenever I was busy, I would often say to myself, "I wish I were a bird." However, I have never wanted to be a bird as much as I do right now. This plane is descending really rapidly.

(A: Whenever / B: would often / C: wish I were)

A whenever は複合関係副詞と呼ばれ、「～するときはいつでも」という意味を表す副詞節を作ります。この意味で使われる場合、whenever は at any time when と置き換えることができます。

B この would は過去の習慣を表し、「よく～したものだった」という意味になります。本文の often のような、頻度を表す副詞とセットで使われることも多いです。would often の形を覚えておきましょう。あくまで過去に習慣的に行っていたことを述べるだけで、would を使って述べられている動作が現在も続いているかどうかまでは分かりません。

C 〈wish ＋仮定法過去〉で「(今) ～ならなあ」という実現可能性が低く現実的ではない願望を述べることができます。I wish I were a bird. で「(実際にはなれないけれど) 私が鳥だったらなあ」という意味です。現在のことを過去形で表すことに注意しましょう。なお、仮定法過去では was の代わりに were を使うのが一般的です。

確かにこんな状況だったら、「鳥になれたら」って思いたくなるかもね

来世ではなれるといいね

第90話 Disbelief

疑惑

Do not believe what my son says. He always talks as if he were being abused at home.

abuse ～を虐待する

息子の言うことは信じないでください。彼はいつも、まるで自分が家で虐待されているかのように話すんです。

POINT as if ＋仮定法過去

Do not believe what[A] my son says. He always talks as if he[B] were being abused[C] at home.

A この what は「〜すること、〜するもの」を意味する関係代名詞の what です。what my son says で「息子の言うこと」という意味になります。文中で動詞 believe「〜を信じる」の目的語となる名詞節を作っています。

B 〈as if ＋仮定法過去〉で「まるで〜かのように」という仮定法の表現です。as if he were being abused at home で「まるで彼が家で虐待されているかのように」という意味になります。語り手が、現実とは異なることに例えて述べる表現です。

C 進行形の受動態は、〈be 動詞＋ being ＋過去分詞〉の形で表します。本文では he were being abused と進行形の受動態を用いることで、一度きりではなく日常的に虐待されている可能性を示しています。

虐待なんかしていない、っていうのが親の主張で

虐待されてる、っていうのが子どもの主張で、どっちが本当なの？

第91話

Forgotten Mistakes

忘れられた過ち

"Were I president, I wouldn't start a war," the president muttered. He had lost his memory due to the shock of the bombing.

president 大統領　**war** 戦争　**mutter** つぶやく
lose ～を失う　**due to** ～が原因で　**bombing** 爆撃

「もし私が大統領なら戦争なんて始めないのに」大統領はそうつぶやいた。彼は爆撃の衝撃で、記憶をなくしてしまっていた。

POINT 仮定法の if の省略

"Were I president, I wouldn't start a war," the president muttered. He had lost his memory due to the shock of the bombing.

(A: Were I / B: had lost)

A 仮定法の if は省略することができます。その場合、主語と be 動詞の語順が入れ替わるので注意しましょう。本文の Were I president「もし私が大統領なら」は、If I were president の if が省略されて主語と be 動詞の語順が入れ替わり、were が文頭に置かれています。

B 過去完了形が使われていることから、had lost his memory「記憶をなくした」のは、muttered「つぶやいた」時点より前のことであると分かります。このように、過去の２つの出来事の時系列を明確にするのが、過去完了形の大過去と呼ばれる用法です。本文の had lost と muttered のように、過去形で表される出来事よりも前に起きた出来事を、過去完了形を使って表します。

どうやら戦争中の話みたいだね

大統領は自分が戦争を始めたことを忘れちゃってるのかもね

第92話 Real Reason for Helping

助けた本当の理由

"Thank you. But for your help, I would have been killed."
"It's nothing. I just want to be as close as possible when I watch you suffer."

nothing たいしたことない　**close** 近くで

「ありがとう。君の助けがなければ僕は殺されていただろう」
「どうってことないよ。君が苦しむところを、できるだけ近くで見たかっただけさ」

POINT But for ～（もし～がなければ）

"Thank you. But for your help, I would have been killed."
A
"It's nothing. I just want to be as close as possible when I watch you suffer."
B

A but for は「もし～がなければ、もし～がなかったら」という表現です。仮定法の if 節に相当する内容を表し、仮定法過去と仮定法過去完了のどちらでも使えます。なお、後ろには名詞や名詞句が続きます。接続詞ではないので、節を続けることはできません。

B watch は知覚動詞と呼ばれ、watch *A do* で「A が～するのを見る」という意味を表します。この *do* を原形不定詞と呼び、*A* と *do* とのあいだには主語と述語の関係が成り立ちます。

自分の手で仕留めたかったってこと？

この人、一体どれだけ恨みを買ってたんだろう…

第93話 Unequal

平等の外

The king proposed that every person be equal. The people applauded sitting on their slaves.

propose ～を提案する　**equal** 平等な　**applaud** 拍手する
slave 奴隷

王は、すべての人が平等であるべきだと提案した。人々は奴隷の上に座って拍手喝采した。

POINT 仮定法現在

The king proposed that every person be equal. The people applauded sitting on their slaves.

(A: proposed that every person be / B: The people applauded / C: sitting)

A propose that ～「～ということを提案する」の that 節内の動詞が be であることに注目。提案や要求を表す動詞に続く that 節内では、動詞の原形を使うことを覚えておきましょう。この動詞の形のことを、仮定法現在と呼ぶことがあります。

B applaud は「拍手喝采する」という意味の自動詞なので、目的語をとりません。そのため、２文目は The people が主語、applauded が動詞の、第１文型 SV の文であることが分かります。

C sitting 以降の部分は付帯状況「～しながら」の意味を表す分詞構文で、「奴隷の上に座りながら拍手喝采した」という意味になります。このように、付帯状況の分詞構文は２つの動作が同時に行われていることを示すことができます。

すべての人が平等であるべきという提案だけど……

椅子代わりの奴隷は、人間扱いされていないんだね……

第94話　Buying a Dream

夢を買う

"Little did I dream I'd win the lottery," he said, holding what was really just a scrap of paper.

win a lottery 宝くじが当たる　**hold** ～を手に持つ
scrap 切れはし

「宝くじが当たるなんて夢にも思わなかった」と彼は言った。ただの紙切れを握りしめながら。

POINT 倒置の Little did

"Little did I dream I'd win the lottery," he said, holding what was really just a scrap of paper.

A little は「まったく～しない」という意味を表す副詞です。この意味を強調するため、Little did I dream のように、副詞の little が文頭に出された倒置の文になっています。後ろに続く文は疑問文と同じ語順になることに注意しましょう。

B この what は「～すること、～するもの」を意味する関係代名詞です。what was really just a scrap of paper という関係代名詞節の中で、what は主語の働きをしています。この what は the thing that と言い換えることもできます。

宝くじが当たったのかと思いきや……

紙切れを当たりの宝くじと思い込むなんて、かわいそうに

第95話 Everyone's Favorite

みんなの人気者

The hamster said, "I love rabbits."
"So do I," replied the wolf.

hamster ハムスター　**rabbit** ウサギ　**wolf** オオカミ

ハムスターが言った。「私はウサギさんが好きです」
「私もです」とオオカミが言った。

POINT 同意の表現（肯定）

The hamster said, "I love rabbits(A)."
"So do I(B)," replied the wolf.

A 可算名詞の複数形は、冠詞なしで使うと総称表現となります。rabbit「ウサギ」は可算名詞なので、I love rabbits. は「ウサギという動物（全般）が好き」という意味になります。

B 一般動詞の肯定文を受けて、「私もそうです」と答えるときに使うのが、So do I. という表現です。ここでは直前の I love rabbits.「私はウサギが好きです」という文を受けています。よって、So do I. は I love rabbits, too.「私もウサギが好きです」と同じ意味を表しています。

ハムスターは友だちとしてウサギのことが好きなんだろうね

肉食のオオカミは食べ物として好きなのかもね

第96話 Uninvited Guest

招かれざる客

The groom said, "I didn't invite that man."

The bride said, "Neither did I."

"Then who is he...?"

groom 新郎　invite ～を招待する　bride 新婦

新郎が言った。「あの男の人を招待したのは僕じゃないよ」
新婦が言った。「私でもないわよ」
「じゃああの人は……誰？」

POINT 同意の表現（否定）

The groom said, "I didn't invite that man."

The bride said, "Neither did I."
A

"Then who is he...?"
B

A 一般動詞の否定文を受けて、「私も～ではない」と答えるときに使うのが、Neither do I. という表現です。本文ではI didn't invite that man.「私はあの男の人を招待しませんでした」という文に対する返答なので、Neither did I. と過去形になっています。これはI didn't invite him(=that man), either.「私も彼（＝あの男の人）を招待しませんでした」という文と同じ意味になります。

B then は「それなら」という意味を表す副詞です。この意味の場合は、文頭に置いて使います。直前の文の内容を受けて、その条件や前提を踏まえた上で「それなら～」と話を展開することができます。

結婚式って、新郎新婦どちらかしか知らない人がいたりするからね

それにしても、どうやって紛れ込んだんだろ

第97話

Nutritional Supplement

栄養補給

“I haven’t been getting enough iron lately,” he said, and with that we saw something in his hand. It was a bottle of a red liquid that he had taken from his pocket.

iron 鉄分　**liquid** 液体

「最近、鉄分が不足しているんだ」彼がそう言ったとき、その手の中に何かが見えた。彼がポケットから取り出したのは、赤い液体が入ったボトルだった。

POINT 強調構文

"I haven't been getting enough iron lately," he said, and with
A
that we saw something in his hand. It was a bottle of a red
B
liquid that he had taken from his pocket.

A〈have been ＋動詞の ing 形〉で表す現在完了進行形の否定文では、have の直後に not を置きます。「ずっと～し続けている」と、動作が過去のある時点から現在まで継続していることを表すのが、現在完了進行形の用法です。

B It is ～ that ... の形で表す強調構文です。ここでは過去の話をしているので、be 動詞は過去形の was が使われています。強調したい語句を be 動詞と that の間に置くことで、「…なのは～だ」という意味を表すことができます。もともとは He had taken a bottle of a red liquid from his pocket.「彼は赤い液体が入ったボトルをポケットから取り出しました」という文だと考えられます。take *A* from *B*「A を B から取り出す」の A に当たる a bottle of a red liquid「赤い液体が入ったボトル」を強調するために、強調構文が使われています。

赤い液体ってまさか、血を飲んで鉄分補給してるってこと!?

レバーとかほうれん草とか食べればいいのに

第98話 Beyond Space

宇宙の先

It was not until humans went into space that we found out that our world was surrounded by cages.

space 宇宙　**surround** ～を囲む　**cage** 檻

人類が宇宙に進出してはじめて、この世界が檻に囲まれていることを知った。

POINT not until を使った強調構文

It was not until humans went into space that we found out that our world was surrounded by cages.

(A: It was not until ... that / B: was)

A It was not until ～ that ... は、not until を使った強調構文の形です。「～までは…しない」、すなわち「～してはじめて…する」という意味を表すことができます。本文の It was not until humans went into space that we found out that ... は「人類が宇宙に進出するまでは、…ということを知らなかった」、つまり「人類が宇宙に進出してはじめて、…ということを知った」という意味になります。

B we found out に続く that 節内で be 動詞の過去形 was が使われているのは、時制の一致によるものです。主節の動詞 found out の時制に合わせ、従属節の動詞（that 節の動詞）も過去形を使います。

宇宙の果てはないって思ってたけど、実は檻で囲まれてたの!?

誰なんだろうね、その檻の外から僕たちを観察しているのは

第99話

What We Really Found

見つけたモノ

“Why did you go home without finding me when we were playing hide-and-seek yesterday?”
“What! But we did find you.”

hide-and-seek かくれんぼ

「なんで昨日、かくれんぼの最中に僕を置いて帰ったの？」
「何だって！　僕らは確かに君を見つけたよ」

POINT 動詞の強調

"Why did you go home **without**(A) finding me when we were playing hide-and-seek yesterday?"
"What! But we **did find**(B) you."

A without は「〜なしに」という意味を表す前置詞です。後ろには名詞や名詞句が続きます。接続詞ではないので、節を続けることはできません。動詞を続ける場合は、本文の without finding me「僕を見つけることなしに」のように、動名詞にする必要があります。

B we did find you のように、動詞の意味を強調するために do / does / did を使うことがあります。通常の疑問文を作る場合と同様に、do / does / did は主語の人称や動詞の時制によって使い分けます。本文では we found you という過去形の文を強調しているので、did を使っています。このとき、続く動詞は原形になることに注意しましょう。

かくれんぼで見つけてもらえなかったみたいだね

友だちが見つけたのは一体、誰だったんだろう？

第100話 Epilogue

エピローグ

Thank goodness I studied English by reading horror stories. Because, you know, the real world is full of such terrible things.

horror ホラー **real** 現実の **full of** ～でいっぱいの
terrible 恐ろしい

怖い話を読んで英語を勉強してよかった。だってほら、現実世界は恐ろしいことであふれているから。

POINT

Thank goodness I studied English by[A] reading horror stories.
Because, you know[B], the real world is full of such terrible things.

A by は「〜（すること）によって」という意味を表す前置詞です。本文の by reading のように、後ろに動詞が続く場合は動名詞の形にします。by reading horror stories「怖い話を読むことによって」は、英語を勉強する手段を説明しています。

B you know は口語でよく使われる表現です。「あなたは知っている」という意味で使われているわけではなく、いわゆるつなぎ言葉のような役割を果たしています。本文では、you know「ほら」というように、相手に同意を求めるニュアンスがあります。

いろいろ教えてくれてありがとう、すっごく勉強になったよ

ほら、あの子また変なヌイグルミに向かって喋ってるよ……

水谷健吾（みずたに・けんご）

1990年、愛知県生まれ。作家、脚本家。漫画『食糧人類』（講談社）原案。現在は舞台脚本、ウェブトゥーン原作、ショートショート小説などを中心に執筆活動をおこなっている。舞台『捏造タイムスリップ』が2019年佐藤佐吉優秀脚本賞、舞台『つじつま合わせのタイムパトローラー』が2020年劇団EXPO最優秀作品賞、短編小説『冥土の土産』がメルカリ主催モノガタリ大賞にて優秀作品賞を受賞。

氏田雄介（うじた・ゆうすけ）

1989年、愛知県生まれ。企画作家。株式会社考え中代表。著書に、1話54文字の超短編集『54字の物語』シリーズ（PHP研究所）、世界最短の怪談集『10文字ホラー』シリーズ（星海社）、当たり前のことを詩的な文体で綴った『あたりまえポエム』（講談社）、迷惑行為をキャラクター化した『カサうしろに振るやつ絶滅しろ！』（小学館）、書き出しと結びが決まっているショートショート集『空白小説』（水谷健吾、小狐裕介との共著）（ワニブックス）など。

イミコワ英語

意味がわかると怖い話で学べる英文法

Production Staff

デザイン　コバヤシタケシ
イラスト　いのうえさぶこ
編集協力　株式会社メディアビーコン
データ作成　株式会社四国写研
印刷所　株式会社リーブルテック

読者アンケートご協力のお願い

この度は弊社商品をお買い上げいただき、誠にありがとうございます。本書に関するアンケートにご協力ください。右のQRコードから、アンケートフォームにアクセスすることができます。ご協力いただいた方のなかから抽選でギフト券（500円分）をプレゼントさせていただきます。
アンケート番号：305840
※アンケートは予告なく終了する場合がございます。